BON VIVANT !

OPUS 2

Marc Hervieux

Photographies de Dominique Lafond

Flammarion
Québec

Je ne sais pas pourquoi je conserve
plein de microsillons. Je n'ai plus
de « table tournante », mais je
suis incapable de m'en défaire.

TABLE

Bon vivant !
Opus 2

Introduction (9)

1.   Papa, je veux devenir chanteur ! (11)
2.   Fermer les yeux au mauvais moment... (25)
3.   « Ce n'est pas dangereux, c'est juste un python. » (35)
4.   Les aventures du *Minuit, chrétiens* (49)
5.   *¡ Viva España !* (61)
6.   Nouvelles érotiques (73)
7.   Cric-crac (87)
8.   Seul au jour de l'An (99)
9.   En audition (109)
10. *Starmania* Québec-Montréal-Paris-Séoul (121)
11. Alerte au concert en Floride (135)
12. Un papillon dans l'oreille (147)
13. Chicago (161)
14. Sur les routes du Québec (173)

Remerciements (187)
Index (190)

Mon père, Dollard Hervieux,
l'été de ses 16 ans, en 1942.

À mon père, que j'aurais aimé voir tenir ce livre,
À ma magnifique Caroline,
À mes merveilleuses filles, Loïane, Cloé et Maxime,

À toutes celles et tous ceux qui doutent.

Tout au long de l'écriture du premier livre, *Bon vivant !*, j'étais dans le doute. La volonté de publier un ouvrage était très forte et l'idée de marier anecdotes, recettes et musique m'emballait, mais l'incertitude prenait le dessus dès que je m'installais à l'ordinateur. J'éprouvais la crainte, presque incontrôlable, de ne pas être à la (h)auteur (je me permets ce respectueux jeu de mots).

    Dans ma jeunesse, combien de fois ai-je vu mon père douter de ses capacités, hésiter et ne jamais oser ? C'était un homme admirable, un grand travailleur et un père de famille dévoué. En pensant au talent qu'il avait mis de côté pour se consacrer aux siens, une petite voix m'a convaincu de foncer, d'aligner les premiers mots, puis les premières phrases, jusqu'au point ultime du livre. Et, finalement, cette expérience m'a tellement plu que j'ai eu envie de recommencer tout de suite, dès le lendemain de la parution. *Bon vivant !* a eu le bonheur d'être bien accueilli, même de remporter des prix. Cependant, ma plus grande récompense, c'est encore de l'avoir achevé, d'avoir eu l'audace d'accomplir ce que je croyais inaccessible.

Tu vois, papa, j'ai osé, pour toi.
Je t'envoie un exemplaire sur ton nuage.

Marco

Introduction

Voici *Bon vivant! Opus 2*.

C'est bien beau d'avoir l'intention d'écrire un livre, mais, après, il faut passer à l'action! Quand j'ai commencé la rédaction du premier, j'ai vite compris que j'aurais à escalader une montagne très abrupte. Louise Loiselle, éditrice et complice de ce projet, me disait que l'ouvrage devait comporter au moins 200 pages. J'étais sous le choc, inquiet de ce que j'allais pouvoir raconter après la cinquième! Eh bien, à la remise du manuscrit, j'avais amplement répondu à la commande, car il a fallu couper près du tiers des textes. Comme je me suis dit que ce surplus d'anecdotes, de recettes et de suggestions musicales ne devait pas dormir dans un tiroir, c'est bien humblement que je vous propose ce nouvel opus.

Rien de neuf dans ce qui m'anime depuis le début du parcours : la passion. L'envie de raconter, de partager mes petits et grands plaisirs gustatifs et de vous faire écouter la musique qui me rend heureux.

Cette pandémie nous aura fait vivre une année et demie bien singulière. Et j'espère que, en y réfléchissant, vous pourrez trouver des éléments constructifs. Pour ma part, cette longue pause de la scène m'a donné le temps de rédiger deux livres et d'enregistrer deux disques reliés à mes souvenirs. Vous pensez sans doute que j'ai succombé à un excès de nostalgie, mais je vous assure que ce ne fut que du bonheur! Une histoire m'en rappelait 1, 2, puis 10 autres... Je les ai revécues le sourire aux lèvres, et je me suis même surpris parfois à éclater de rire. Mon plus grand désir serait que la lecture de ce livre vous fasse le même effet et, surtout, que cela vous entraîne vous aussi à fouiller dans votre mémoire. Bien sûr, certains souvenirs sont plus joyeux, d'autres plus tristes, mais ils font partie de notre propre histoire.

L'ingrédient principal de l'aventure que représentent *Bon vivant!* et ce deuxième opus, c'est la notion de partage. Cela commence par une anecdote racontée autour d'une table devant un bon plat, puis cette anecdote me rappelle soudainement une chanson, un air. Ce partage devient un échange puisque le récit a fait surgir chez un convive le souvenir d'un événement qu'il a vécu, d'un repas unique, d'une musique marquante. Cela nous permet de découvrir le chemin que nous avons parcouru, ce qui nous a bâtis, les joies et les peines qui ont ponctué nos vies.

Voici ce que je souhaite : puisque c'est de nouveau possible de nous réunir, invitons-nous et ouvrons-nous aux autres. À coup sûr, nous apprendrons à mieux nous connaître et, qui sait, à mieux partager. Je reviens toujours à ce verbe, en quelque sorte, la motivation de tout ce que j'entreprends.

Bonne lecture, bon appétit et bonne écoute!

Herviet

PAPA, JE VEUX DEVENIR CHANTEUR !

Chapitre 1

Mon père adorait la musique. Pas surprenant de le voir photographié près de ce meuble radio tourne-disque stéréo d'une autre époque !

J'ai 16 ans, j'y pense depuis déjà longtemps, je serai chanteur. Je prends le peu de courage que j'ai pour aller voir mon père, qui est, comme à son habitude, à la cuisine, assis dans sa chaise berçante. Aussitôt devant lui, je n'attends pas une seconde et je lui dis :

« Papa, je sais ce que je veux faire dans la vie. Je veux être un chanteur, un acteur. Je me vois sur une scène. »

Un long moment de silence s'installe. Indescriptible, mais pas lourd.

« Hum… C'est bien, mon Marco. Je te vois bien faire cela, mais dis-moi, que veux-tu faire pour gagner ta vie ? »

J'avoue que je suis assez surpris de sa réaction. Il approuve dans la première partie de sa réponse, mais la deuxième partie est ambiguë.

« Papa, je vais gagner ma vie en étant un artiste.

L'affiche de mon premier concert solo réalisée par mon ami Maryo Thomas.

— Comment je te dirais ça, mon Marco : artiste, c'est un loisir, un passe-temps. Tu ne pourras pas gagner ta vie avec ça. Tu dois penser à un vrai métier pour être certain de pouvoir subvenir à tes besoins, à ceux de ta famille. Je ne souhaite pas pour toi la vie dure que j'ai eue. Un travail à l'usine de sucre avec des horaires changeants et surtout un petit salaire. Tu dois trouver "une job *steady*, pis un bon boss", comme disait l'humoriste Yvon Deschamps. »

Je suis sans mot. La dernière chose au monde que je veux, c'est décevoir mon père. À ce moment-là, en mon for intérieur, je me dis que je n'ai pas le choix. Je me trouverai un métier plus sûr et continuerai à faire de la scène en amateur. La décision n'est tout de même pas facile à accepter. Je m'inscris donc au cégep en graphisme. Ce travail me plaît parce que c'est très créatif. J'ai deux très bons amis, Maryo et Jocelyne, de la troupe de théâtre amateur, qui exercent cette profession. Je me résous à adapter mon plan de vie. Les choses se passent très bien dans ma nouvelle orientation, bien que, vous vous en doutez, l'idée de chanter n'ait pas disparu.

Je l'ai souvent répété : j'ai une tendance à l'hyperactivité. Il faut que je jongle avec plusieurs projets à la fois. Après seulement une session, j'ai l'impression que mes connaissances suffisent pour ouvrir mon studio de graphisme... Euh... presque prétentieux. Mais non, juste très curieux et passionné. Nous sommes en 1986 et les ordinateurs font tout juste leur apparition dans le milieu du graphisme. On m'assure que le Macintosh — on ne disait pas Apple encore — révolutionnera le domaine. Je n'en sais rien, mais, à coup sûr, je veux être un des premiers à posséder cet appareil. Sauf que, comment faire pour acquérir un Macintosh et une imprimante laser ? À cette époque, il faut compter 4000 $ pour l'ordinateur et 8000 $ pour l'imprimante : une foooortune ! Pour acheter l'équipement, louer un local et avoir un fonds de roulement, mes calculs s'élèvent à 20 000 $. J'ai 16 ans, je vous le rappelle... bientôt 17. J'ai mon plan d'attaque, dont je veux discuter avec mon père.

« Papa, si je vais à la banque pour emprunter les 20 000 $ dont j'ai besoin, pourrais-tu m'endosser ? »

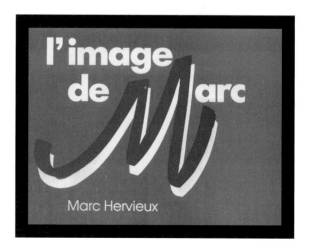

Ma première carte professionnelle conçue par un grand ami et graphiste, Maryo Thomas.

Vous ne pouvez même pas imaginer la stupéfaction dans les yeux de mon père.

« Écoute Marco, je veux bien t'aider, mais je ne sais même pas si la banque me prêterait à moi une telle somme.

— Entendu, je prends rendez-vous à la banque et on en reparle après ma rencontre. »

Je suis bien préparé, je présente un document détaillé et j'explique mon projet avec aplomb au banquier, qui m'écoute poliment. Il ne reste plus qu'à attendre la réponse. Trois jours plus tard, le téléphone sonne et on me demande si je suis disponible pour aller signer les papiers pour le prêt. Quoiiiiiiii !!!!??? Bien sûr que je suis libre. Je peux m'y rendre immédiatement même. Ma demande est acceptée !

« Par contre, madame, je dois vérifier si mon père est libre aussi. »

— Ce ne sera pas nécessaire, monsieur Hervieux (je pense que c'est la première fois qu'on m'appelle « monsieur »), votre demande est approuvée sans le soutien de votre père. »

Je suis incapable d'émettre un son. J'ai envie de partir en courant signer les papiers, juste au cas où la banque changerait d'avis. Quelques jours plus tard, tout est réglé et le montant se trouve dans mon compte. Je n'ai qu'une hâte : aller annoncer à mon père que c'est le début de l'aventure. Mon plan a réussi et j'en ressens une grande satisfaction. Ce qui est encore plus important pour moi, c'est que mon père soit fier de moi.

Le projet prend forme rapidement : je trouve un local et l'équipement pour démarrer. La chance me sourit : j'obtiens de nombreux contrats dès le départ, car, comme j'en avais eu l'intuition, nous sommes très peu à posséder un matériel à la fine pointe de la technologie. Je me consacre jour et nuit à tenter d'en maîtriser toutes les possibilités de la façon la plus classique : essai-erreur !

Pendant que mes affaires roulent, mon père me semble, depuis quelques jours, plutôt renfermé et songeur assis dans sa chaise berçante. Je prends mon courage à deux mains pour lui demander ce qui le tracasse.

« Marco, je n'ai pas été capable de vous le dire, mais à mon arrivée à l'usine lundi matin, on m'a fait venir dans le bureau de la direction pour m'annoncer que c'était terminé. »

Je suis bouche bée.

« J'ai pensé que c'était terminé pour la journée, la semaine, par manque de travail. On m'annonce que je dois prendre ma retraite. Marco, après 42 ans de loyaux services, d'horaires de travail presque inhumains : une semaine de jour, une semaine de soir suivie d'une semaine de nuit, à un salaire misérable, on me dit comme une banalité que je peux rentrer chez moi et y rester. »

Il ajoute à ce moment une phrase qui résonne encore dans ma tête plus de 35 ans plus tard : « Marco, je suis fini, je ne suis plus bon à rien, on ne veut plus de moi. » En l'écrivant, j'en suis encore secoué.

« Voyons, papa, je pense que c'est une excellente nouvelle.

— Arrête de faire des blagues, Marco.

— Papa, je suis très sérieux. Ça veut dire que tu vas pouvoir venir travailler avec moi. »

J'ai absolument besoin d'aide. Mon père accepte de se joindre à moi pour s'occuper des communications avec les clients afin de leur expliquer le matériel publicitaire que je conçois et faire les livraisons. Tout se passe à merveille ! Quelques semaines plus tard, mon père est foudroyé par un infarctus. Il est hospitalisé le 30 novembre et meurt le 30 décembre.

Pour moi, le choc est terrible. Mon père, mon partenaire, n'est plus là. Encore aujourd'hui, j'ai du mal à accepter qu'il soit parti si vite. J'ai la chance d'avoir un ultime souvenir assez merveilleux : son dernier Noël, quelques jours avant de partir pour le grand voyage. Malgré son état, nous avons chanté, joué de la guitare et beaucoup ri. Il s'excusait de ne pas avoir été à la maison pour le réveillon et nous promettait de faire son possible pour être de retour au Nouvel An. Malheureusement, dès le lendemain, il est tombé dans un semi-coma et il nous a quittés sans pouvoir tenir sa promesse. Le temps des Fêtes restera à jamais une période où il est impossible de ne pas penser à mon père.

Puis, la vie reprend son cours, le studio de graphisme roule à fond. Je ne peux espérer mieux. Le remboursement de l'emprunt devait s'échelonner sur 10 ans, mais le succès est tel que je peux rembourser la totalité du prêt après seulement 3 ans. Je me dis que mon père aurait été vraiment fier de moi. Je passe à la banque pour régler le compte et j'ai une petite pensée pour le jeune homme nerveux qui s'était présenté trois ans plus tôt, déterminé à obtenir un prêt. Je signe toute la paperasse et l'aimable employée de la défunte banque d'épargne me demande de patienter le temps de faire les photocopies pour clore l'affaire. Pendant son absence, sans gêne, je feuillette les documents de mon dossier ouvert sur le bureau. Je suis stupéfait de ce que je découvre : la signature de mon père apparaît sur chacun des formulaires. Mes pensées se bousculent et je ne sais trop ce qu'il faut en déduire.

Pour en avoir le cœur net, je me rends aussitôt chez ma mère. Je lui annonce que je suis passé à la banque pour rembourser le prêt, sept ans avant le terme. Elle a à peine le temps de me féliciter que je lui demande des explications :

« J'ai vu la signature de papa partout dans mon dossier. Étais-tu au courant ?

— Oh, Marco, tu ne devais pas savoir ça.

— Quoi ? Pour quelle raison ?

— Quand tu as parlé de ton plan à ton père, il s'est dit que tu avais pas mal plus de cran que lui pour oser faire ce genre d'emprunt. Au moment où tu avais ton rendez-vous à la banque, ton père a décidé d'aller attendre que tu en sortes en se cachant derrière l'église du Très-Saint-Nom-de-Jésus. De son poste d'observation au coin des rues Desjardins et Adam, il a pu te voir quitter le bâtiment. Aussitôt, il s'est rendu au comptoir de la banque, a demandé à rencontrer la personne qui t'avait reçu. Il lui a fait comprendre qu'il voulait aider son fils. Il lui a dit que même s'il était un gagne-petit et malgré le fait qu'il n'avait pas beaucoup d'économies, il avait l'intention d'endosser ton emprunt. Par contre, il ne voulait pas que tu le saches. Il voulait que tu penses qu'on avait confiance en toi, qu'on respectait ta détermination. Ton père souhaitait que tu apprennes tôt comment se définit le mot "dignité". »

Voilà donc que j'apprends que c'est grâce à mon père si je réussis. Je ne peux même pas au moins le remercier ni lui rendre son geste généreux. Sa vie a été si dure, j'aurais aimé le gâter.

Il m'arrive encore de m'adresser à lui. Un petit rituel au moment d'entrer en scène pour l'inviter à m'accompagner. À deux, on sera plus fort. Peut-être aussi pour lui dire : « Tu vois, papa, mon idée de faire de la scène, ça fonctionne. » Chaque fois que je chante *La Quête** que Jacques Brel a interprétée, mes pensées vont vers lui. C'est ma façon de lui dire : « Merci pour tout ce qui m'arrive. C'est grâce à toi. »

* Chanson de la comédie musicale américaine *Man of La Mancha* de l'auteur Joe Darion et du compositeur Mitch Leigh, adaptée en français par Jacques Brel.

« Rêver un impossible rêve
Porter le chagrin des départs
Brûler d'une possible fièvre
Partir où personne ne part

Aimer jusqu'à la déchirure
Aimer, même trop, même mal
Tenter, sans force et sans armure
D'atteindre l'inaccessible étoile... »

* * *

PASSONS À TABLE

Des plats pour faire plaisir à papa

Mon père aimait la simplicité. Il ne connaissait pas la gastronomie et je pense qu'il ne voulait même pas la connaître. J'ai choisi trois recettes qu'il aurait adorées. Ah ! si j'avais pu l'inviter chez moi, passer une journée avec ses petites-filles et Caro, qu'il n'a pas connues. Je suis certain qu'elles l'auraient bien aimé. C'est vraiment l'unique regret de ma merveilleuse vie que mon père soit parti trop tôt.

MACARONI AU CHEDDAR

Papa aimait le cheddar fort, qu'il mangeait tous les matins. Son petit-déjeuner se composait d'un café (instantané et très faible) et de deux toasts coupées en quatre pointes avec un petit triangle de fromage sur chaque morceau. Ce qui m'amuse le plus, c'est que nous avions un chihuahua et mon père lui servait le même déjeuner tous les jours : un café et deux toasts au cheddar !

4 portions

·   6 clous de girofle
·   1 oignon en 2
·   2 feuilles de laurier
·   1 l (4 tasses) de lait
·   7 c. à soupe de beurre doux
·   180 ml (¾ tasse) de farine
·   500 g (1 lb) de cheddar extrafort râpé
·   500 g (1 lb) de macaronis ou autres pâtes courtes
·   120 g (4 oz) de gruyère râpé
·   Sel et poivre

Préchauffez le four à 200 °C (400 °F). Enfoncez 3 clous de girofle dans chaque demi-oignon. Mettez-les dans une casserole avec le laurier, le sel et le poivre, et versez le lait. Chauffez à feu doux en veillant à ce que cela ne mijote pas. Retirez du feu. Dans une autre casserole, à feu moyen, faites fondre le beurre et, à l'aide d'une cuillère en bois, incorporez la farine. Remuez jusqu'à ce que la farine soit cuite, mais avant que le roux ne commence à changer de couleur. Tamisez le lait chaud et versez-le petit à petit en fouettant. Laissez la sauce épaissir avant d'en verser plus. Lorsque la sauce est bouillonnante et épaisse, éteignez le feu et ajoutez le cheddar. Pendant que le fromage fond, faites cuire les pâtes jusqu'à ce qu'elles soient al dente. Avant d'égoutter, mettez de côté au moins 250 ml (1 tasse) d'eau de cuisson. Mélangez les pâtes à la sauce au fromage, en diluant au besoin avec un peu d'eau de cuisson réservée. Remuez pour bien enrober les pâtes. Transférez dans un plat allant au four de 23 × 33 cm (9 × 13 po). Éparpillez le gruyère au-dessus. Mettez au four de 15 à 20 minutes jusqu'à ce que le dessus soit doré. Si désiré, pour les dernières minutes, allumez le gril afin de gratiner le fromage.

Invitez votre père à s'installer à la table et régalez-vous ensemble.

LE POULET BBQ

Je ne suis allé au restaurant qu'une seule fois dans ma vie avec mes deux parents, mon frère et mes sœurs, c'était le dimanche de ma confirmation. Nous étions allés dîner chez Michelle BBQ, rue Ontario, au coin de la rue Valois, dans Hochelaga-Maisonneuve. À l'époque, on considérait ce resto comme un temple du poulet BBQ.

4 à 6 portions

- 6 cuisses de poulet

Marinade sèche
- 1 c. à soupe d'épices pour poulet barbecue (de type épices Montréal)
- 1 c. à thé de paprika fumé
- ½ c. à thé de poudre d'oignon
- ½ c. à thé de poudre d'ail
- ¼ c. à thé de piment de Cayenne
- ¼ c. à thé de cannelle
- ¼ c. à thé de cumin
- ½ c. à thé de sel
- ¼ c. à thé de poivre

Sauce à badigeonner
- 125 ml (½ tasse) de vinaigre de cidre
- 1 c. à soupe d'huile d'olive
- Jus de 1 lime
- 1 échalote française hachée finement
- ½ c. à thé de paprika fumé
- 250 ml (1 tasse) de sauce barbecue du commerce
- Sel et poivre

Marinade sèche Dans un petit bol, mélangez tous les ingrédients. **Poulet** Enrobez uniformément les cuisses de la marinade en frottant avec les mains. Délicatement, insérez-en aussi sous la peau. Laissez reposer à température ambiante 1 heure. Chauffez le barbecue à 260 °C (500 °F). **Sauce à badigeonner** Dans un bol, mélangez tous les ingrédients de la sauce. **Cuisson** À cette chaleur, la cuisson indirecte est la meilleure option, sinon le poulet brûlera très vite. Éteignez les brûleurs du centre pour ne conserver allumés que ceux des côtés. La température devrait se stabiliser à 180 °C (350 °F). Placez les cuisses de poulet au centre de la grille et badigeonnez-les généreusement de sauce. Refermez le couvercle et laissez cuire 10 minutes. Retournez les cuisses 4 fois et badigeonnez le dessus. Puis, laissez cuire jusqu'à ce que la viande soit cuite, au moins 30 minutes. Avant de servir, badigeonnez une dernière fois et accompagnez ce régal d'une belle salade composée d'ingrédients saisonniers.

Pour s'assurer de la parfaite cuisson avec un thermomètre, la chaleur interne devrait être d'au moins 74 °C (165 °F).

TARTE AUX POMMES, DATTES ET PACANES À L'ÉRABLE

Comme je vous le disais, mon père travaillait à l'usine de sucre et, dans la famille, nous avions tous le bec sucré. Un repas se terminait toujours par un dessert. Voici une tarte que j'adore et qui, à coup sûr, aurait fait le bonheur de mon père. Avec une belle grosse boule de crème glacée, c'est le paradis. J'espère qu'ils servent de la tarte au ciel !

6 à 8 portions

· 180 ml (¾ tasse) de sirop d'érable
· 60 ml (¼ tasse) de cassonade
· 60 ml (¼ tasse) de beurre
· 250 ml (1 tasse) de dattes en petits morceaux
· 750 ml (3 tasses) de pommes pelées,
  évidées, en quartiers fins
· 4 c. à soupe de farine
· 125 ml (½ tasse) de pacanes hachées finement
· 2 abaisses de pâte à tarte
· 1 jaune d'œuf
· Crème glacée vanille (facultatif...
  mais à mon avis incontournable)

Préchauffez le four à 180 °C (350 °F). Dans une grande casserole, mettez le sirop d'érable, la cassonade, le beurre et les morceaux de dattes. Chauffez le mélange à feu moyen et, aux premiers bouillons, baissez le feu. Laissez mijoter 5 minutes, le temps d'attendrir les dattes et de bien les imbiber de sirop. Ajoutez les pommes et poursuivez la cuisson 5 minutes. Retirez du feu. À l'aide d'une cuillère en bois, incorporez la farine, puis les pacanes. Foncez une assiette à tarte beurrée de 23 cm (9 po) de diamètre avec la première abaisse. Remplissez du mélange de pommes et couvrez de la deuxième abaisse. Scellez la bordure et pratiquez quelques incisions sur le dessus (laissez s'exprimer votre créativité et surprenez la famille avec le motif de vos entailles). Badigeonnez la pâte avec un jaune d'œuf battu dilué dans un peu d'eau. Mettez au four de 45 à 50 minutes, jusqu'à ce que la pâte soit dorée. Laissez tiédir quelques minutes.

Servez la tarte chaude sans oublier de déposer une boule de crème glacée sur le dessus.

La vie est une comédie musicale

On oublie souvent que plusieurs des très grandes chansons sont extraites de comédies musicales. J'en ai choisi cinq qui reflètent bien ce précieux souvenir avec mon père. J'aurais facilement pu en choisir 100.

La Quête, extrait de L'homme de la Mancha

Lorsque Jacques Brel voit *Man of La Mancha* sur Broadway, il est immédiatement séduit par le spectacle. Il décide d'en faire l'adaptation française et de jouer lui-même Don Quichotte. En 1968, Brel triomphera dans ce rôle et par son interprétation de la grande chanson *The Impossible Dream*, devenue *La Quête*. Pour moi, l'interpréter symbolise toute la reconnaissance que j'ai envers mon père.

Send in the Clowns, extrait de A Little Night Music

Une comédie musicale créée en 1973 qui raconte l'histoire d'une vedette de théâtre amateur sur son déclin. À mon avis, cette chanson est une des plus grandes du répertoire de cet art vivant qu'est la comédie musicale. J'en retiens deux versions exceptionnelles, celle que chante l'actrice anglaise Judi Dench (qui incarne M dans la série des James Bond), ainsi que celle d'un de mes chanteurs d'opéra préférés, Bryn Terfel, avec qui j'ai eu le plaisir de partager la scène à quelques reprises.

Some Enchanted Evening, extrait de South Pacific

Un titre que je traduirais ainsi : une soirée magique. Ce genre de soirée, j'en ai connu beaucoup sur scène et dans ma vie. Je fais le vœu d'en connaître encore de nombreuses et je vous en souhaite tout autant, le plus souvent possible.

If I Were a Rich Man, extrait de Fiddler on the Roof

Le titre dit tout. Mais, en même temps, il me fait réaliser que si nous avions été riches, je n'aurais pas vécu cette magnifique histoire dont mon père est le héros. Il a agi dans le plus grand secret parce qu'il croyait en moi et qu'il voulait que j'atteigne mon but.

Memory, extrait de Cats

Dans cette célèbre comédie musicale lancée en 1981, une chatte arrive à la fin de sa dernière vie et se remémore les bonnes et moins bonnes aventures. Je ne peux m'empêcher d'établir un lien avec la fin de mon père. J'aurai peut-être l'occasion de raconter d'autres moments de son histoire, mais j'aimerais ajouter une image au récit que je viens de vous faire. Bien qu'il n'ait eu que 64 ans, le jour où il a été hospitalisé, la première phrase que le médecin a prononcée après l'avoir examiné est : « Monsieur Hervieux, vous avez le cœur d'un homme de 100 ans »...

Nelligan, vieux, médicamenté et interné fut un des personnages les plus marquants de ma carrière.
Photo : Yves Renaud

FERMER LES YEUX AU MAUVAIS MOMENT...

Chapitre 2

Vers la fin des années 1980, pendant plusieurs saisons, j'ai travaillé dans un théâtre d'été, autant à titre de technicien qu'à titre de comédien. Au début de ma carrière, je n'arrivais pas à me décider : allais-je opter pour la scène ou pour les coulisses ? Je me disais : « Pourquoi arrêter mon choix maintenant ? » J'ai toujours été curieux et avide d'apprendre. Eh bien, croyez-le ou non, je n'ai toujours pas pris ma décision et je me répète encore aujourd'hui : « Marc, qu'est-ce que tu pourrais faire quand tu seras grand ? » Je crois que ça m'aide à rester jeune dans ma tête.

Les étés passés à faire rire les gens sont des souvenirs extraordinaires. La cabane à sucre d'Aurélien Grégoire, à Sainte-Marcelline-de-Kildare, dans Lanaudière, se transformait, à la belle saison, en La Mine d'Arts. Ce cher Aurélien, le patriarche, et ses enfants exploitaient un théâtre d'été, en plus de servir de succulents repas avant la représentation. On faisait salle comble tous les soirs, même pendant les périodes de canicule, où, je vous assure, la chaleur était presque intenable. Avant de faire place au théâtre, Aurélien prenait son violon et jouait les plus beaux rigodons de notre répertoire, qu'il assaisonnait toujours de ses blagues pas mal salées. Quelle grande époque du théâtre d'été au Québec ce fut !

La troupe était composée d'amis ayant le même goût du spectacle. Il y avait la comédienne Line Lebrun, Danielle Martin, une grande comique de l'école du vaudeville qui, à elle seule, déplaçait les foules, mon grand François D'Amour (le frère du comédien Normand D'Amour), que le cancer a malheureusement emporté trop tôt, et mon frère Alain, pour ne nommer que ceux-là.

Un de ces étés, après ma journée d'animation dans les parcs de la ville de Montréal, nous partions dans ma camionnette en direction du théâtre. L'événement que je veux vous raconter s'est passé par une journée très chaude et humide. Après avoir travaillé en plein soleil avec des centaines de jeunes dans un parc de l'est de Montréal, mon petit groupe décide d'aller souper à la base de plein air de Sainte-Émélie-de-l'Énergie avant la pièce. Un grand détour, mais bon, quand on est jeune, on veut tout faire ! La panse bien remplie, nous arrivons au théâtre. La chaleur dans le bâtiment est torride. Les spectateurs tentent de s'éventer comme ils le peuvent avec le programme. Imaginez le spectacle

Dans la pièce *Le noir te va si bien* avec Marie-Josée Beaudreau et Maryo Thomas, au Café du Marché, au milieu des années 1980.

dans ces conditions : un marathon d'acteurs et d'actrices interprétant une ving-taine de personnages chacun avec changements de costume qui courent dans tous les sens. C'est fou ! La soirée se déroule parfaitement et les spectateurs ont, comme à l'habitude, la mâchoire douloureuse tellement ils ont rigolé.

Après la pièce, nous prenons le temps de souffler un peu : une bonne bière froide pour plusieurs, tandis que moi, je suis à la limonade (je ne suis pas amateur de bière !). Au moment de partir, j'avoue à mes amis que le soleil et la chaleur m'ont accablé et que je suis pas mal fatigué. Je suggère de chercher un motel pour la nuit et de rentrer à la maison le lendemain ou même de rester dans un petit chalet au bord d'un lac afin de profiter du magnifique paysage de la région de Lanaudière. Comme ce n'était pas prévu, certains ont des engage-ments, des enfants, bref, ce n'est pas possible.

Ce n'est, après tout, qu'une petite heure de route. À peine la camion-nette en marche, mes camarades s'endorment. De mon côté, je conduis ma Toyota sur l'autoroute 40 en luttant contre ces redoutables ennemis que sont la fatigue et le sommeil. Je résiste tant bien que mal et nous atteignons le pont qui enjambe la rivière des Prairies. Aussitôt de l'autre côté, j'aperçois, au loin, une série de balises orange (bienvenue à Montréal !). Il s'agissait, dans ce temps-là, de panneaux rectangulaires en métal retenus à la base par des sacs de sable. La signalisation indique que les travaux de nuit nécessitent la fermeture com-plète de ce tronçon de route et que la circulation est déviée vers la voie de des-serte. Je suis passé au même endroit la veille, donc ce n'est pas une surprise. Pourtant, je suis loin de me douter que je me souviendrai de ce passage le reste de ma vie ! Les secondes suivantes se déroulent au ralenti comme dans un film. À l'instant où je vois les panneaux orange et m'apprête à actionner le clignotant pour changer de voie, je cligne des yeux... mais, cette fois, sans les rouvrir...

Je me suis endormi au volant. Je roule certainement à 110 kilomètres à l'heure et je fonce en ligne droite vers la série de balises métalliques. Entre le moment où je m'endors et la première collision, il ne s'écoule pas plus de trois secondes. L'impact et le bruit sont si forts que tous sont instantanément réveillés. Moi aussi. Mon réflexe immédiat est de braquer le volant vers la droite pour éviter la dizaine d'autres obstacles devant nous. Par malchance, le premier panneau s'est coincé dans mes roues avant, m'empêchant de bifurquer, et la camionnette les percute un par un en les projetant dans les airs. Un des pan-neaux est coincé sous mon véhicule et frotte sur l'asphalte en créant une longue traînée d'étincelles. Même si j'ai repris mes sens, je suis impuissant à freiner. Mes amis crient. Imaginez, se faire réveiller par un immense tintamarre, être ballottés de tous côtés, sans trop réaliser dans quel chaos vous vous trouvez !

Je réussis finalement à immobiliser le véhicule. Il est 1 h 30 du matin et, invraisemblable, mais vrai, trois secondes plus tard, une dépanneuse tous phares allumés vient se poster juste devant nous. Je m'empresse de demander à mes deux amies comédiennes, Mireille Vaillant et Manon Arseneault, assises sur le siège arrière, et à un ami qui nous accompagne, le chorégraphe Harold Rhéaume, mon passager de droite, si tout va bien. Heureusement, personne n'est blessé. À part un très gros choc nerveux, tout le monde va bien.

Je nous revois sur le bas-côté de l'autoroute, nous prenant dans les bras l'un de l'autre et louant la chance que nous avons de sortir indemnes de cet accident. Le conducteur de la remorqueuse accourt vers nous et raconte qu'il rentrait chez lui après son quart de travail et qu'en nous suivant il s'était douté que quelque chose n'allait pas dans ma conduite.

En moins de deux, la carcasse bien amochée de ma camionnette est accrochée derrière la dépanneuse et nous voilà en route pour reconduire chacun à son domicile. À quatre heures du matin, l'homme me dépose avec ce qui reste de mon véhicule juste devant chez moi, rue Lafontaine, dans Hochelaga-Maisonneuve. Je monte au deuxième étage du triplex, mon premier appartement à vie, et je m'assois quelques minutes sur le balcon pour évaluer la situation, puis je rentre.

Je suis resté calme, vraiment calme, pendant tout ce temps, car je voulais d'abord prendre soin de mes passagers. Ma blonde de l'époque, Suzanne, dort profondément. Je me dis que je ne vais pas troubler son sommeil et que demain sera bien assez tôt pour lui faire le récit de la mésaventure. Je me glisse au lit et je tente de m'endormir. Au bout de quelques minutes, comme si mes nerfs venaient de lâcher, mon corps entier se met à trembler de façon incontrôlable. J'éclate en sanglots comme un bébé en détresse ! Suzanne se réveille et s'inquiète de me voir dans cet état. Je suis incapable d'arrêter mes tremblements et mes pleurs et de lui expliquer ce qui nous est arrivé. Après de très longues minutes, je parviens simplement à lui dire qu'elle comprendra lorsqu'elle verra la camionnette stationnée devant notre porte.

J'ai longtemps fait des cauchemars : je me voyais dans un terrible accident où j'étais le seul survivant. Jamais plus je ne me suis endormi au volant. Demandez à ma famille ou à mes amis, ils vous confirmeront que je peux conduire des heures sans jamais cligner des yeux ! Mais j'évite de prendre la route si je ne suis pas en pleine possession de mes moyens. Soyez prudent, ça n'arrive pas qu'aux autres et ça se produit très vite.

* * *

PASSONS À TABLE

Le menu du théâtre La Mine d'Arts

En plus d'être une excellente cabane à sucre au printemps, les soupers-spectacles qu'Aurélien Grégoire offrait durant la belle saison proposaient un menu de qualité sûr de plaire à tous les goûts. À l'époque où nous avions le bonheur de fouler les planches de la scène, mon choix s'arrêtait souvent sur le vol-au-vent. Comme j'adore ce mets, j'ai pensé vous présenter ma version familiale.

VOL-AU-VENT AU CANARD SUR POMME DE TERRE

À sa création, au XVIIIᵉ siècle, le vol-au-vent était plus gros que ce que l'on connaît aujourd'hui, surtout si on le compare à la portion individuelle servie de nos jours sous le nom : bouchée à la reine. Dans ma version, la pâte feuilletée est remplacée par des pommes de terre cuites au four. Un délice !

6 portions

- 6 grosses pommes de terre ou 12 petites, non pelées
- 6 c. à soupe d'huile d'olive
- 2 barquettes de 227 g de champignons blancs en lamelles
- 1 gros oignon haché
- 1 carotte en dés
- 4 c. à soupe de beurre
- 125 ml (½ tasse) de farine
- 1 l (4 tasses) de bouillon de poulet
- 250 ml (1 tasse) de crème à cuisson 15 %
- 2 feuilles de laurier
- 1 c. à thé de marjolaine
- 250 ml (1 tasse) d'édamames
- 3 cuisses de canard confites, effilochées
- Sel et poivre

Préchauffez le four à 190 °C (375 °F). Dans un bol, enrobez les pommes de terre de 3 c. à soupe d'huile. Salez, poivrez, et déposez-les sur une plaque. Enfournez jusqu'à ce qu'elles soient bien tendres, 50 minutes pour les plus grosses. Dans une poêle, chauffez 2 c. à soupe d'huile à feu moyen et faites rissoler les champignons sans trop remuer jusqu'à ce qu'ils soient vraiment dorés. (C'est tellement meilleur !) Réservez. Dans la même poêle, ajoutez la dernière cuillerée d'huile et faites sauter l'oignon et la carotte, 2 minutes. Ajoutez les champignons réservés et le beurre. Saupoudrez de farine et mélangez bien avant de verser le bouillon, puis la crème. Portez à ébullition en remuant constamment. Ajoutez le laurier, la marjolaine et rectifiez l'assaisonnement. Baissez le feu et laissez mijoter 2 minutes. Incorporez les édamames, le canard et poursuivez la cuisson 2 minutes afin de réchauffer le tout. Au moment de servir, tranchez les pommes de terre et disposez-les sur les assiettes avant de garnir d'une généreuse louche de sauce.

À la maison, nous accompagnons ce merveilleux plat de petits bouquets de brocoli.

MON FILET DE PORC À L'ÉRABLE ET AU BRIE

Quand arrive le printemps, c'est le moment de refaire sa réserve de sirop. À force de fréquenter la même cabane à sucre, je m'approvisionne directement chez cet artisan... en attendant que je le produise moi-même, de l'entaille jusqu'au magnifique liquide doré. Cette recette à l'érable me fait presque entendre résonner le violon du sympathique Aurélien.

6 à 8 portions

- 1 c. à soupe de beurre
- 1 c. à soupe d'huile végétale
- 3 filets de porc de 500 g (1 lb) chacun
- 1 oignon haché finement
- 1 c. à soupe de farine
- 125 ml (½ tasse) de bouillon de poulet
- 125 ml (½ tasse) de sirop d'érable
- 1 c. à soupe de moutarde de Dijon
- 2 pommes Cortland pelées, épépinées, en quartiers
- 6 tranches de fromage brie
- Sel et poivre

Préchauffez le four à 180 °C (350 °F). Dans une poêle allant au four, chauffez le beurre et l'huile à feu moyen-élevé et saisissez les filets de porc. Salez, poivrez et mettez de côté. Dans la même poêle, faites dorer les oignons. Saupoudrez la farine et mélangez. Déglacez avec le bouillon en remuant. Incorporez le sirop d'érable et la moutarde. Baissez le feu, ajoutez la pomme et laissez mijoter 3 minutes. Pratiquez une incision sur le dessus des filets de porc afin d'y insérer le brie. Mettez les filets de porc dans la poêle et enrobez-les de sauce. Enfournez de 12 à 14 minutes pour une cuisson rosée. À la sortie du four, laissez reposer la viande couverte de papier d'aluminium 5 minutes. (Cela fera toute la différence lorsque vous trancherez les filets.) Servez avec vos légumes préférés.

C'est généralement au service qu'en fermant les yeux, j'entends Aurélien qui attaque *Le reel de Joe Cormier* !

En pensant à la musique d'Aurélien

Le reel est le nom d'une danse qui était très répandue en Écosse. Il finira par voyager vers l'Irlande et nous arrivera de ce côté de l'Atlantique avec son bagage historique anglo-saxon. Quant à la gigue à laquelle nous le comparons, elle viendrait plutôt des Britanniques. Ce qui ne devrait pas vous empêcher de giguer sur un reel ! Trémoussez-vous comme vous voulez, mettez tout ce que vous avez, même si vous ne connaissez aucun des pas de la gigue.

À force de repenser à ces beaux souvenirs, j'ai fini par réécouter ce répertoire que mon père affectionnait, particulièrement dans le temps des Fêtes, mais pas seulement durant cette période de l'année. Ces airs sont aussi ceux de tous les violoneux et folkloristes. La liste est longue de ces artistes et les titres des chansons, plutôt originaux, sont bien représentatifs du Québec d'autrefois.

Il me vient en tête Ti-Blanc Richard, La Bolduc, Jean Carignan, Ovila Légaré, Jeanne-D'Arc Charleboix, Oscar Thiffault, Estelle Caron, Muriel Millard, Monsieur Pointu (Paul Cormier), André Bertrand, le Quatuor Alouette, Les Compagnons de la chanson, La famille Soucy et, plus récents, Fred Pellerin, La Bottine souriante, Les Charbonniers de l'enfer, Le Vent du Nord, Mes Aïeux, La Volée d'Castors, Yves Lambert trio, Nicolas Pellerin et les Grands Hurleurs, De Temps Antan, Les Tireux d'roches, Galant, tu perds ton temps, et tant d'autres qui font vivre la tradition de ce répertoire de chez nous.

Voici mes chansons préférées :

Le reel de Pointe-au-Pic
Pinci-Pincette
La chanson du quéteux
Le reel du forgeron
Le reel de Joe Cormier
La Ziguezon
Le reel irlandais (Bees Wax, Sheep Skin)
La poule à Colin
La grand'côte
Dans nos vieilles maisons

Une rare photo d'Aurélien Grégoire, qui organisait des soupers-spectacles à sa cabane à sucre.

Reel de Joe Cormier

Une marche écossaise composée
par Joe Cormier qu'Aurélien Grégoire
nous interprétait à sa cabane à sucre.

« CE N'EST PAS DANGEREUX, C'EST JUSTE UN PYTHON. »

Chapitre 3

Au début des années 1990, j'ai étudié le chant classique au Conservatoire de musique du Québec, à Montréal, dans la classe de Sylvia Saurette. J'ai adoré ces cinq années, même si, par moments, ce fut difficile. Par la suite, je me suis perfectionné durant deux belles années passées à l'Atelier lyrique de l'Opéra de Montréal. À la fin de ce stage en milieu professionnel, j'ai obtenu deux bourses d'excellence : le prix Diana-Soviero et la bourse Létourneau-Gaultier, ainsi que le premier prix de la Fondation Jacqueline-Desmarais. Ce soutien financier représente une chance extraordinaire pour un jeune chanteur. Cela lui permet de voyager de par le monde pour passer des auditions dans les maisons d'opéra et d'orchestres symphoniques.

Ces deux dernières bourses ont servi à payer mes voyages à l'étranger durant une année : mes dépenses de déplacements, d'hôtels, les pianistes d'accompagnement, les tenues de concert... Quant au prix Diana-Soviero, il me procurait un stage payé à l'Advanced Role Preparation Studio, à Miami. Ce fut l'occasion, durant tout un été, d'approfondir différents rôles d'opéra. Un séjour formateur avec des classes de maîtres, des leçons privées quotidiennes, et avec des répétitions lors desquelles j'étais accompagné de pianistes et de coachs vocaux. Et ce n'est pas tout : j'avais à ma disposition un appartement et une voiture.

J'arrive à Miami un samedi matin. Je partagerai un appartement avec le pianiste Claude Webster. Cette aventure commune nous a vraiment liés et il est devenu un de mes meilleurs amis. Claude doit me rejoindre seulement le lundi. Je serai donc seul tout le week-end. Nous allons occuper un bel appartement dans une des quatre tours d'un complexe d'habitations. Le nôtre, situé au rez-de-chaussée, compte cinq pièces, dont deux chambres avec salle de bain. Pourvu de l'ameublement de base, le logement n'offre aucune commodité superflue, pas de téléphone (les cellulaires n'existaient pas encore !), de radio ni même de télévision, le strict nécessaire. En même temps, c'est bien ainsi, car on est là pour travailler et parfaire nos connaissances de façon intensive.

Je jouais Nemorino dans *L'elisir d'amore* de Gaetano Donizetti, en tournée pour l'Opéra de Montréal et les Jeunesses Musicales Canada, durant la saison 1997-1998.

Une fois installé, je décide de prendre un peu d'avance et de me préparer au stage qui débute le lundi matin. Je suis tout de même nerveux, car, croyez-le ou non, à ce moment-là, je ne parle pas anglais ! Tout au long de mes cinq années au Conservatoire, j'ai appris l'allemand, l'italien, la diction française, des notions d'espagnol, mais… pas l'anglais. Comme je suis de l'est de Montréal, que je suis issu d'un milieu 100 % francophone, l'anglais ne faisait pas partie de nos vies dans mon enfance et, assez bizarrement, nous ne voyions pas l'utilité d'apprendre cette langue. Bref, j'étais équipé de mon dictionnaire — oui, oui, un vrai dictionnaire en papier —, prêt à relever un double défi : apprendre mes rôles d'opéra et l'anglais. J'ai choisi d'aborder les rôles de cinq personnages de cinq opéras : Don José de *Carmen*, Alfredo de *La Traviata*, Rodolfo de *La bohème*, Mario de *Tosca* et Nemorino de *L'elisir d'amore*.

Face-à-face entre Mario Cavaradossi et Floria Tosca (Michele Capalbo) dans *Tosca* de Puccini, à l'Opéra de Calgary, en 2006.

Assis à la table de la salle à manger, les partitions ouvertes, je révise tout de *a* à *z* pour profiter au maximum de l'expérience qui m'est offerte. Vous vous doutez bien qu'aux États-Unis les frais de scolarité sont astronomiques pour ce genre de spécialisation.

Soudain, on frappe à la porte. Bien sûr, je n'attends personne… je ne connais personne ! J'ouvre et c'est Michelle, une mezzo-soprano, aussi du stage, dont l'appartement se trouve au douzième étage d'un autre bâtiment du complexe. Sa colocataire n'y sera pas, elle non plus, avant lundi, et elle a un peu peur, seule, dans ce lieu plutôt isolé. Je l'invite à entrer et nous passons un très bel après-midi à discuter et à nous entraider dans la connaissance de notre musique respective. Comme elle me dit qu'elle est très craintive de retourner à son appartement, je lui propose d'occuper la chambre de Claude pour cette nuit.

Il est environ trois heures du matin quand, tout à coup, j'entends des bruits qui proviennent de ma salle de bain. Je me demande bien ce que la chanteuse fait là, puisque sa chambre possède sa propre salle de bain. Je suis tout de même sur mes gardes, car je ne la connais pas tant que ça. Est-elle somnambule ?

Je ne suis qu'à quelques pas de la porte de la salle de bain. J'ouvre. Il fait noir. Je glisse ma main jusqu'au commutateur en pensant découvrir mon amie chanteuse en détresse. Il y a bien le barda dans les bouteilles de produits hygiéniques qui jonchent maintenant le sol, mais pas de chanteuse. Au moment où mon regard se dirige vers la tablette juste au-dessus du réservoir de la toilette, une forme sinueuse s'allonge, s'élève et émet une espèce de vibration sourde. À ma grande stupéfaction, c'est un serpent ! Je n'en crois pas mes yeux : une bête de près d'un mètre de long, noir et jaune. Je ne me pose pas plus de questions et je referme violemment la porte. Un rayon de lumière passe sous la porte à hauteur de cinq ou six centimètres. Je ne voudrais pas que mon deuxième invité surprise s'y faufile et sorte de la salle de bain. Rapidement, avec un drap, je bouche l'espace libre.

Il m'est impossible de retourner dormir. De la salle à manger, au centre de l'appartement, j'ai vue sur la porte barricadée. Je ne compte pas bouger tant que je ne pourrai aller chercher de l'aide au petit matin. Je me résigne à attendre tandis que mon nouvel ami, pas si sympathique, continue à bardasser les bouteilles qu'il jette sur le plancher. Je l'ai peut-être effrayé ?

À sept heures du matin, j'aperçois enfin un employé d'entretien qui passe devant ma porte-fenêtre. Je m'empresse de sortir pour lui faire part de mon problème, mais en m'approchant de lui, je me demande : c'est quoi, « serpent », en anglais ? Sans trop réfléchir, je me dis que ce doit être assez semblable au français, genre « seuurpenttt » ? Tout est dans la prononciation ! Et puis, finalement, juste au moment où je rejoins l'homme, je réalise que j'allais faire un fou de moi, car la traduction exacte est *snail* (« escargot » pour ceux qui ne maîtrisent pas la langue anglaise). Je me lance : « *Excyouse me, seurrr, I hhhave* (on m'avait prévenu de bien aspirer le *h* en anglais) *a snail in my bathhhroom!* Vous dire l'immense point d'interrogation qui apparaît sur le visage de mon interlocuteur... *Oh, maybe the problem is my accent. Wait, please, I hhhhave a big snail in my bathhhroom* (j'écarte les bras pour lui indiquer la longueur d'un mètre). L'ouvrier fait demi-tour et disparaît aussi vite qu'il était arrivé, sûrement convaincu qu'il a affaire à un illuminé!

Je retourne à l'intérieur assez déçu de ma performance dans la langue de Shakespeare, mais toujours persuadé que serpent, en anglais, c'est *snail*. En entrant, je m'assure que le drap obstrue toujours le dessous de la porte de la salle de bain afin que le serpent ne traverse pas de mon côté.

Vers 7 h 30, une envie me prend et j'aimerais bien aller aux toilettes. Pas dans ma salle de bain, bien sûr. Je décide d'utiliser celle qui est attenante à la chambre de Claude, où dort mon amie chanteuse. Je la traverse à pas de loup pour ne pas la réveiller. Une fois que je me suis soulagé, alors que je repasse devant son lit, elle se réveille et me demande, l'air surpris, ce que je fais là.

« Je suis vraiment désolé de t'avoir réveillée. Je devais utiliser ta salle de bain.

— Et la tienne? fait-elle.

— C'est qu'il y a un serpent dans la mienne.

— Bon, Marc, ce n'est pas un peu trop tôt pour faire des blagues?

— Non, je te jure que c'est vrai. Va voir toi-même, si tu veux, mais moi, je ne t'accompagne pas. »

Elle se lève et veut aller vérifier de ses yeux si je dis vrai. De sa chambre, nous apercevons en même temps le serpent qui a commencé à repousser le drap. Haaaaa! Sa tête est bien en vue et il continue d'avancer. Pas du tout préparés à cette situation, ne sachant ce qu'il faut faire, il nous vient l'idée de prendre des casseroles et des ustensiles en métal pour lui faire la fanfare. Si on l'effraie, il rebroussera peut-être chemin. L'effet ne tarde pas : notre ami à sang froid retourne d'où il vient.

Nous sommes sans téléphone, sans personne à qui téléphoner, de toute façon, et la conciergerie n'ouvre qu'à midi le dimanche. Rien à faire, sinon que de patienter jusqu'à l'ouverture du bureau. Au moins, cette fois, mon amie pourra expliquer notre problème puisqu'elle parle anglais mieux que moi!

À midi tapant, nous frappons à la porte du concierge et Michelle explique ce qui nous arrive. Moi, je suis derrière elle et je hoche de la tête à chacune de ses phrases. C'est à ce moment que je l'entends dire *snake* et que je réalise que l'employé ce matin a dû bien rire de moi. On nous précise que c'est chose courante en Floride, qu'un spécialiste viendra rapidement capturer le reptile.

Nous retournons à l'appartement. La sonnette de la porte retentit et c'est avec empressement que nous conduisons l'expert à la salle de bain. Il ouvre la porte et... rien. Pas de serpent. C'est impossible! Il avance et cherche partout. Le réservoir de la toilette est recouvert d'une tablette à pentures plutôt que d'un couvercle en porcelaine. Il soulève la tablette et nous apercevons le museau de la bête un peu sortie de l'eau. L'homme équipé d'un grand crochet en métal et d'un sac en tissu s'approche et nous informe : « Ce n'est pas dangereux, c'est juste un python. Ce genre de grand reptile sort seulement quand il a faim ! » J'imagine qu'en me voyant la veille faire ma toilette, il s'est dit : « Oh, le beau buffet que voilà ! » En moins de deux secondes, le serpent est dans le sac et en route vers un endroit plus approprié pour lui.

Toute la durée du stage, on m'a surnommé : *Snail guy*.

Depuis, j'ai appris l'anglais !

* * *

PASSONS À TABLE

Les émotions, ça creuse l'appétit !

Je me souviens de la chaleur intense qu'il faisait en été en Floride. L'idée ne m'est jamais venue d'allumer le four. Je pensais plutôt à des salades fraîches. J'étais tellement occupé que le temps de préparation des repas était très minime. Vite et bon, rien de mieux ! Une seule exception à la règle : le poulet et les citrons cuits au barbecue. J'ai aussi refait ce gâteau de mon enfance, riche en calories, que j'ai rebaptisé pour la circonstance le gâteau à l'américaine.

SALADE DE MELON D'EAU

Voici la recette par excellence pour un soir de grande chaleur. Une fois que vous aurez placé la salade au centre de la table, ne vous absentez pas parce qu'il est possible que le bol soit vide à votre retour.

4 à 6 portions

Vinaigrette
- 1 c. à soupe de tamari
- Jus de 1 lime
- 2 c. à thé de vinaigre de riz
- 1 gousse d'ail pressée
- 1 c. à thé de gingembre râpé
- Poivre

Salade
- 3 tomates en quartiers (en saison, je choisis une tomate Heirloom)
- 5 tasses de melon d'eau en cubes
- 1 poivron jaune en cubes
- 1 piment jalapeño finement tranché
- 60 ml (¼ tasse) de feuilles de basilic
- 60 ml (¼ tasse) de feuilles de menthe
- 1 poignée de noix de cajou grillées, hachées
- 1 avocat en cubes
- 200 g (7 oz) de feta émiettée
- Quartiers de lime
- Sel et poivre

Vinaigrette Dans un petit bol, fouettez tous les ingrédients. Réservez.
Salade Dans un grand saladier, mélangez tous les ingrédients et la vinaigrette, avec délicatesse pour ne pas briser les cubes de melon d'eau. Disposez les quartiers de lime pour décorer la salade et déposez le bol au centre de la table. Pour ajouter un soupçon d'acidité, les convives pourront presser les quartiers de lime.

NACHOS AU POULET À LA GRECQUE

4 à 6 portions

Marinade
- 250 ml (1 tasse) d'huile d'olive
- 60 ml (¼ tasse) de jus de citron
- 3 gousses d'ail hachées
- 1 c. à soupe de moutarde de Dijon
- 2 c. à soupe d'origan séché
- 2 c. à thé de persil séché
- 1 c. à thé de thym séché
- Sel et poivre

Poulet
- 4 poitrines de poulet sans la peau
- 3 citrons en 2

Tzatziki
- 250 ml (1 tasse) de yogourt grec
- 1 concombre anglais en dés fins
- 3 gousses d'ail pressées
- 60 ml (¼ tasse) d'aneth haché
- 1 c. à soupe de menthe hachée
- Jus et zeste de ½ citron
- 2 c. à soupe d'huile d'olive
- Sel et poivre

Nachos
- 8 pains pitas en pointes
- 3 c. à soupe d'huile d'olive
- Sel

Garniture
- 1 concombre anglais en dés
- 125 ml (½ tasse) d'olives Kalamata
- 125 ml (½ tasse) de poivrons rouges rôtis en bocal, hachés
- 125 ml (½ tasse) d'oignon rouge haché
- 200 g (7 oz) de feta émiettée
- 60 ml (¼ tasse) d'aneth haché
- 60 ml (¼ tasse) de persil haché

Marinade Dans un bol ou un sac en plastique refermable, mélangez tous les ingrédients. **Poulet** Enrobez les poitrines de poulet de la marinade et fermez hermétiquement. Laissez macérer au réfrigérateur au moins 6 heures ou jusqu'au lendemain. **Tzatziki** Dans un bol, mélangez tous les ingrédients. Réfrigérez au moins 15 minutes. **Cuisson** Préchauffez le barbecue à haute intensité. Réduisez le feu et faites griller le poulet. Lorsqu'il est cuit, coupez-le en cubes. Réservez. Grillez les demi-citrons côté coupé sur la grille. **Nachos** Préchauffez le four à 200 °C (400 °F). Placez les pitas sur une grande plaque. Badigeonnez d'huile. Saupoudrez de sel. Enfournez et laissez cuire jusqu'à ce que les pains soient dorés et croustillants, de 8 à 10 minutes. **Garniture** Éparpillez sur les pitas le concombre, les olives, le poivron rouge, l'oignon, la feta, le poulet grillé et déposez des cuillerées de tzatziki ici et là. Avant de servir, garnissez d'aneth et de persil et des citrons grillés.

GÂTEAU AUX BISCUITS GOGLU SANS CUISSON À L'AMÉRICAINE

Ma mère achetait des boîtes de chocolat cassé à la confiserie Oscar de la rue Ontario, dans Hochelaga-Maisonneuve. On y trouvait un assortiment de barres dont les Caramilk, Oh Henry ! et Mr. Big. Ma mère cachait ce trésor… mais le chocolat disparaissait à vue d'œil. Voici un gâteau de mon enfance (un peu revampé, tout de même).

10 portions

Caramel
· 1 boîte de 300 ml de lait condensé sucré

Mélange au fromage
· 1 contenant de 475 g de fromage mascarpone
· 4 c. à soupe de sucre à glacer
· 1 contenant de 237 ml de crème à fouetter 35 %
· 5 barres de chocolat Mr. Big hachées grossièrement

Gâteau
· 48 biscuits Goglu
· 1 contenant de 473 ml de crème à fouetter 35 %
· 4 c. à soupe de sucre à glacer

Caramel Il suffit de mettre la boîte de lait condensé sucré dans une casserole et de la couvrir d'eau. Portez à ébullition et, aussitôt, réduisez le feu à moyen. Laissez mijoter 2 heures en vous assurant que la boîte reste immergée dans l'eau. Retirez la boîte de la casserole et laissez-la tiédir avant de l'ouvrir. **Mélange au fromage** Dans un grand bol, mettez le mascarpone, le sucre à glacer et la crème et mélangez au batteur électrique 3 minutes ou jusqu'à l'obtention d'une texture homogène. Ajoutez l'équivalent de 3 barres de chocolat et mélangez doucement avec une spatule. **Gâteau** Utilisez un plat rectangulaire de 23 × 33 cm (9 × 13 po) ou, encore mieux, un emporte-pièce rectangulaire que vous aurez posé sur une assiette de service. Couvrez le fond de biscuits Goglu (environ 16 biscuits). Étalez le caramel en une couche uniforme. Mettez un deuxième étage de biscuits au-dessus et étalez le mélange de mascarpone. Disposez un dernier étage de biscuits. Montez la crème avec le sucre au fouet. Tartinez-en le dessus du gâteau. Éparpillez les 2 dernières barres de chocolat hachées. Réfrigérez au moins 8 heures.

Servez ce gâteau et prenez conscience que le bonheur peut être si facile parfois !

Les temples de l'opéra

Je vous présente cinq des plus belles salles d'opéra à travers le monde. J'aurais pu en nommer 10, 25, 100, tellement ces théâtres sont impressionnants et devraient faire partie des sites touristiques à visiter. Comme chanteur, lorsque l'on regarde la salle à partir de la scène, celles qui m'ont le plus impressionné sont, dans l'ordre : La Scala de Milan, le Mariinski de Saint-Pétersbourg et le Metropolitan Opera House de New York.

Théâtre Bolchoï, à Moscou

Bolchoï veut dire « grand théâtre ». Scène prestigieuse, située à proximité du Kremlin, la capacité de la salle est de 1800 personnes. La troupe du Bolchoï existe depuis 1776 et le bâtiment actuel date de 1825, le premier théâtre ayant brûlé en 1805. Ce lieu mythique fut le cadre de grands moments historiques, dont le 4 mars 1877, la première du célèbre ballet *Le lac des cygnes*, de Tchaïkovski. Il a fait l'objet de grandes rénovations en 2011, au coût de 12 milliards de roubles (près de 200 milliards de dollars canadiens).

Le théâtre Colón, à Buenos Aires

Je ne suis pas le seul à classer cet opéra argentin parmi les cinq plus prestigieux au monde. Il s'agit assurément d'une des plus imposantes maisons d'opéra. Inaugurée le 25 mai 1908 avec la présentation d'*Aïda*, de Verdi, la salle, sur une hauteur de 7 étages, peut accueillir 2500 personnes assises et jusqu'à 3000 personnes, si l'on inclut les places debout. Malgré ses dimensions hors normes, l'acoustique est exceptionnelle. Le bâtiment occupe 8200 m^2 (88 264 pi^2), la salle principale mesure 32 m (104 pi) de diamètre, 75 m (246 pi) de profond, 28 m (91 pi) de haut et la scène fait 35 m (114 pi) de profond et 34 m (111 pi) de large. Le plus beau théâtre d'Amérique, à mon humble avis.

La Fenice, à Venise

Opéra de style néoclassique construit au XVIIIe siècle à Venise. Une salle grandiose de cinq étages avec des loges magnifiquement décorées d'ornements rouge et or. La Fenice a été le lieu de création des œuvres de plusieurs maestros italiens, tels Rossini, Bellini, Donizetti. Verdi y a présenté la première de *Rigoletto* le 11 mars 1851 et de *La Traviata* le 6 mars 1853, pour ne nommer que ces deux opéras. Le théâtre a été la proie de deux incendies majeurs : en 1836, il brûle durant trois jours, et il est de nouveau dévoré par les flammes en 1996, résultat d'un acte criminel. Chaque fois, la reconstruction est fidèle à l'original.

La Royal Opera House, à Londres

Rendez-vous incontournable de la scène culturelle de Londres, vous entendrez les gens l'appeler Covent Garden, du nom du quartier où il est situé. Le bâtiment est aussi la résidence du Royal Opera, du Royal Ballet et de l'orchestre du Royal Opera House.

Le 7 décembre 1732 a eu lieu l'inauguration du premier théâtre. Le bâtiment n'a pas échappé aux incendies destructeurs, d'abord en 1808, puis en 1856. La façade, le foyer et la salle datent de 1858, bien que d'importantes rénovations aient été effectuées depuis dans les années 1990. La salle peut contenir 2268 personnes réparties dans la galerie de l'amphithéâtre et sur les quatre étages de loges et de balcons. Emma Albani (1847-1930), célèbre soprano canadienne originaire de Chambly, s'y est produite pendant 20 ans et mon grand ami, la basse Joseph Rouleau (1929-2019), a, lui, enflammé la scène pendant presque 30 ans.

Le Teatro San Carlo, à Naples

Inauguré le 4 novembre 1737, c'est l'un des plus anciens théâtres lyriques d'Europe subsistant encore aujourd'hui. Avec son parterre long de 35 m (114 pi), ses 6 étages de loges disposées en fer à cheval et la vaste loge royale, il peut accueillir 1386 spectateurs. De 1815 à 1822, le directeur musical est nul autre que le compositeur Gioachino Rossini (*Le barbier de Séville*). Un autre grand compositeur lui a succédé, Gaetano Donizetti, qui, lui aussi, y créera plusieurs opéras, dont *Lucia di Lammermoor*. Verdi n'est pas en reste avec les premières de quelques-unes de ses œuvres, notamment *Luisa Miller*.

La Fenice, à Venise.

LES AVENTURES DU *MINUIT, CHRÉTIENS*

Chapitre 4

« Marc, quelle est la chanson que tu as le plus chantée ? » C'est une question que l'on me pose régulièrement. La réponse est simple : *Minuit, chrétiens*. Dès l'approche de la période des Fêtes, je dois immanquablement inscrire à mon horaire au moins une cinquantaine d'interprétations de ce légendaire chant catholique. Hymne mythique de cette religion, il fut pourtant qualifié de « profane ». Même le célèbre Vincent d'Indy, un des fondateurs de la Schola Cantorum de Paris, une école de formation de chantres, a traité le *Minuit, chrétiens* de « musique d'ivrogne ». Ce n'est pas rien venant de lui. De ce côté de l'Atlantique, le cardinal Rodrigue Villeneuve, archevêque de la province de Québec de 1931 à 1947, recommandait fortement à ses disciples de ne pas le chanter ! Des diocèses et des paroisses ont obéi, d'autres pas. À cette époque, les curés jugeaient certaines expressions du texte, soit « l'Homme Dieu » et « de son Père arrêter le courroux », incompatibles avec la théologie. Quant aux musiciens d'église, ils considéraient la pièce comme « théâtrale », « de mauvais goût », « vulgaire ». Nous sommes bien loin de cette perception de nos jours. De toute façon, ce n'est pas de son histoire que je veux vous parler, mais plutôt de quelques-unes des aventures que j'ai pu vivre en interprétant ce cantique.

Pendant plusieurs années, au moins une douzaine, j'avais l'habitude d'aller chanter à la messe de minuit à l'église du quartier de mon enfance. Vous connaissez mon attachement à mes racines. Nous sommes donc en 2004, l'église Saint-Clément-de-Viauville est bondée. Faut-il le dire, c'est la seule fois de l'année où c'est plein à craquer. Tout le monde se met sur son trente-six. La plupart viennent en famille, en couple, mais parfois seuls. Cette tradition qui se perpétue ne manque pas de faire remonter des souvenirs d'enfance, heureux ou tristes.

Le mini-concert de la chorale de la paroisse se termine. Il est minuit moins cinq et je guette le signal du curé, mon ami Yves Poulin. C'est le rituel, année après année, cinq minutes avant le début de la messe (un subterfuge imaginé par ceux qui souhaitaient faire entendre le chant malgré les directives du clergé, qui l'interdisait pendant l'office), le merveilleux orgue Casavant entame

J'ai la chance de faire partie du spectacle *Décembre*, de Québec Issime.
Photo : Paul Ducharme

la musique. Grâce à cet auguste instrument presque centenaire, les premiers accords arpégés sont solennels et nous prédisposent aux paroles du cantique.

Il y a toujours une petite inquiétude sur les qualités vocales de celui qui tentera sa chance dans l'interprétation de cette redoutable pièce. Sera-t-il à la hauteur, atteindra-t-il la fameuse note finale tant attendue ? Sans hésiter, très sûr de moi, je m'élance. C'est un bon soir, j'ai ma voix de stentor, ainsi que l'a qualifiée le redoutable critique musical de *La Presse*, le regretté Claude Gingras. Du haut du jubé, j'observe les paroissiens, les « fidèles », et c'est fou à quel point je peux ressentir l'émotion qui nous rassemble. Ils sont tous captifs, certains se recueillent, d'autres laissent couler quelques larmes. Sans jeu de mots, j'ai droit à une écoute religieuse. L'assemblée fait communion avec le chanteur, sachant que « la » note finale approche. Puis, arrivent les quatre accords à l'orgue qui précèdent le moment redoutable. Je me sens bien, en pleine maîtrise de moi-même, la voix est fraîche… je prends une bonne inspiration et je me lance : « Noël, Noëëëël… » La note est parfaite, un si bémol que j'allonge même de beaucoup puisque je suis si bien perché là-haut. J'arrête la note pour respirer (il y a toujours une petite pause entre « Noël… Chantons le rédempteur »). Eh bien, ce soir-là, au moment où ma voix cesse de résonner dans cette immense église, ma fille Loïane, du haut de ses trois ans et avec la force de ses petits poumons et de son grand cœur, pousse un retentissant : « Bravo, papa ! » Imaginez la scène ! Mille personnes qui éclatent de rire en chœur dans ce moment de recueillement total.

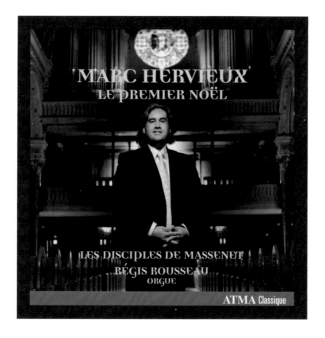

Mon premier disque enregistré dans l'église du Très-Saint-Nom-de-Jésus, celle de mon enfance.

Impossible d'enchaîner, moi aussi, je me suis étouffé de rire. Le temps de me ressaisir et je termine, tant bien que mal, les notes finales sous des applaudissements à tout rompre, comme si nous étions dans une salle de spectacle, comme si tout le monde avait oublié le décorum. Quel merveilleux souvenir !

Les années suivantes, j'ai eu la chance de remplacer le ténor Paul Trépanier à l'oratoire Saint-Joseph du Mont-Royal pour les deux messes de la veille de Noël, celles de 21 heures et de minuit. M. Trépanier a chanté pendant plus de 25 ans dans ce lieu sacré de 3000 places. C'est aussi un privilège que de prendre place à côté de l'orgue installé en 1960, à l'instigation du très grand musicien Raymond Daveluy. Construit à Hambourg, en Allemagne, il comporte 78 jeux répartis sur 5 claviers manuels, 118 rangs et 5811 tuyaux sur 5 claviers et pédaliers mécaniques, ce qui en fait un des plus importants instruments du genre au monde. Il faut dire que de cette position, au jubé, le point de vue est spectaculaire.

La première année, j'avais tout de même décidé d'aller chanter à la messe de 20 heures dans le quartier de mon enfance, puisque je n'y serais pas pour la messe de minuit. C'était beaucoup plus risqué que j'avais pensé. Aussitôt le *Minuit, chrétiens* fini, je traverse Montréal d'est en ouest pour me rendre à l'Oratoire. Ce que je n'avais pas prévu, c'est le bouchon de circulation que peuvent occasionner des milliers de personnes qui se rendent au même endroit. Déjà, réussir à stationner tenait du miracle. Par la suite, j'ai dû me faufiler et passer devant tout le monde en suppliant : « Excusez-moi, je dois aller chanter », « Pardon, c'est moi qui chante… pardon… »

À cette époque, je ne suis pas vraiment connu du grand public, de sorte que les gens en file ne me croient pas. De peine et de misère, je réussis à avancer vers mon but, mais ma course est freinée par une religieuse qui contrôle l'entrée au bas des escaliers mobiles.

« Respectez la file d'attente, jeune homme. »

Je tente de lui expliquer que je dois me rendre au jubé pour chanter le *Minuit, chrétiens*.

« Suffit, jeune homme, je suis ici depuis 40 ans et ce n'est pas vous qui êtes le chantre de l'Oratoire. M. Trépanier, avec sa magnifique voix, le chante depuis bien longtemps.

— J'imagine qu'on ne vous a pas informée, M. Trépanier est à la retraite et je le remplace.

— Impossible », me répond-elle d'un ton qui n'invite pas à la réplique.

Je crains de ne pas arriver à temps. Je décide donc de passer outre et je grimpe les marches deux à deux. J'entends derrière moi : « Arrêtez cet imposteur ! » Aussitôt, des gardiens se mettent à ma poursuite. Ma jeunesse et ma détermination m'aident à me rendre au jubé. M. Daveluy, heureux de me voir, me salue en se demandant à quoi tient ce brouhaha. Mes « assaillants » me rattrapent et la religieuse, sans prendre le temps de demander à l'organiste si je suis bien le remplaçant de M. Trépanier, m'invective : « Jeune homme, vous ne pouvez pas être ici.

— Chuttt, intervient M. Daveluy. S'il vous plaît, ma sœur, laissez-nous nous concentrer. Ce jeune chanteur est pas mal essoufflé et il doit s'attaquer au *Minuit, chrétiens* dans deux minutes.

— Oh, oh, oh! très bien, M. Daveluy. Je suis désolée, je n'étais pas au courant. »

Malgré tout, ça s'est très bien passé et j'ai pu renouveler l'expérience pendant quelques années, jusqu'à ce que je préfère passer mes veilles de Noël en famille, avec ma blonde et mes filles.

Je pourrais vous raconter tant d'aventures autour de ce chant. Une dernière, très courte... Je suis à l'enregistrement de l'émission *Belle et Bum* du temps des Fêtes. On m'a demandé de chanter plusieurs airs et, bien évidemment, ce chant de circonstance. Nous sommes à la fin d'octobre, il faut donc déjà se mettre dans l'ambiance, deux mois d'avance. Nous sommes à l'ancien théâtre National, rue Sainte-Catherine Est. La salle est remplie. Les gens dans l'assistance sont debout depuis longtemps, car il faut souvent toute une journée pour ce genre de tournage. Je m'installe pour chanter. Le public est proche, très attentif, et lorsque j'arrive à la note aiguë, au moment où je reprends ma respiration, une dame, juste devant moi, perd connaissance et s'écroule. Euh... qu'est-ce que je fais, je m'arrête ou je continue, comme dit la chanson... Stop, on interrompt, des personnes viennent à son secours, une ambulance est appelée et la dame est transportée à l'hôpital.

Bon, je ne pense pas que la raison de son malaise soit liée à mon interprétation du *Minuit, chrétiens*. Mais il me plaît parfois d'imaginer que j'ai pu avoir cet effet... J'ai parlé avec la dame et elle m'a expliqué que la chaleur et la fatigue avaient provoqué chez elle une chute de pression. En souvenir, je lui ai fait parvenir un mot avec mes disques. J'espère qu'elle en rigole quelques années plus tard !

* * *

Un concert de Noël, en 2018, avec mes amis Marie-Ève Scarfone au piano et François Pilon au violon.

PASSONS À TABLE

Vive les grandes bouffes du temps des Fêtes

Ce que j'aime le plus de ce temps de l'année, c'est de se retrouver entre amis ou en famille, dans une maison pleine de vie et de chansons… à humer de merveilleux plats qui mijotent. J'aime tellement ça ! Même si je tiens à répéter que je suis très traditionnel dans mon menu de fin d'année, j'accepte quelques variations comme celles-ci.

MON CASSOULET

J'ai eu envie d'adapter la recette traditionnelle pour en faire une version qui se prépare en un peu plus de deux heures, cuisson incluse !

8 portions

- Gras de canard pour la cuisson
- 4 côtelettes de porc
- 2 saucisses de type Toulouse
- 1 chorizo en rondelles épaisses
- 4 cuisses de canard confites
- 1 oignon émincé
- 3 gousses d'ail hachées
- 2 carottes grossièrement hachées
- 2 c. à soupe de farine
- 250 ml (1 tasse) de xérès
- 500 ml (2 tasses) de bouillon de poulet
- 1 boîte de 156 ml de pâte de tomates

- 3 boîtes de 540 ml (19 oz) de haricots blancs (cannellini ou navy) rincés
- 1 boîte de 796 ml (28 oz) de tomates en dés
- 10 rondelles de saucisson polonais
- 3 branches de thym
- 2 feuilles de laurier
- 80 ml (⅓ tasse) de chapelure
- 125 ml (½ tasse) de persil haché (facultatif)
- Sel et poivre

Préchauffez le four à 190 °C (375 °F). Dans une grande cocotte en fonte, chauffez 2 cuillerées de gras de canard à feu moyen-vif et saisissez les côtelettes jusqu'à ce qu'elles prennent une belle coloration des 2 côtés. Retirez et réservez dans un grand bol. Dans la même cocotte, ajoutez du gras de canard, au besoin, et faites-y colorer les saucisses et le chorizo. Transférez dans le bol. C'est au tour des cuisses de canard d'être saisies, côté peau en dessous, à feu vif. Réservez. Puis, faites revenir l'oignon, l'ail et la carotte jusqu'à légère coloration. Réduisez le feu, ajoutez la farine, et, en remuant, poursuivez la cuisson 1 minute. Déglacez avec le xérès et laissez réduire de moitié. Versez le bouillon, incorporez la pâte de tomates et laissez mijoter pendant 3 minutes. Ajoutez les viandes réservées, les haricots, la tomate, le saucisson polonais, le thym, le laurier, le sel et le poivre. Couvrez et mettez au four. Après 40 minutes, retirez le couvercle et poursuivez la cuisson 40 minutes. Saupoudrez le dessus de chapelure et faites dorer sous le gril. Si désiré, parsemez ce plat convivial de persil.

Quand vous aurez fait le tour de votre menu habituel du temps des Fêtes, je vous jure que vous voudrez intégrer ce cassoulet à vos traditions.

MILLE-CRÊPES À L'ÉRABLE, AU MASCARPONE ET AUX POMMES

Ce dessert consiste en l'assemblage de crêpes superposées entre lesquelles on alterne les étages de crème à l'érable et de crème de mascarpone.

10 à 12 portions

- 20 crêpes fines de 23 cm (9 po) de diamètre

Crème à l'érable
- 180 ml (¾ tasse) de sirop d'érable
- 180 ml (¾ tasse) de crème à cuisson 35 %
- 1 c. à soupe de fécule de maïs
- Alcool* (facultatif)

Crème de mascarpone
- 500 ml (2 tasses) de crème à fouetter 35 %
- 1 c. à thé de vanille
- 1 contenant de 275 g de mascarpone
- 125 ml (½ tasse) de sucre à glacer

Garniture aux pommes
- 1 c. à soupe de beurre doux
- 4 pommes Cortland pelées, en lamelles
- 2 c. à soupe de sirop d'érable
- 2 c. à soupe de pépites de sucre d'érable

* Pour la version adulte, vous pouvez parfumer la crème avec un alcool, selon votre goût, ou d'une giclée de Coureur des Bois, ce whisky à l'érable québécois. Pourquoi pas !

Crème à l'érable Dans un petit chaudron, fouettez tous les ingrédients. Portez à ébullition (attention, ça peut déborder rapidement), baissez le feu et laissez mijoter 1 minute. Mettez au réfrigérateur. **Crème de mascarpone** Fouettez la crème et la vanille au batteur électrique pour obtenir une consistance onctueuse. À l'aide d'une spatule, amalgamez le mascarpone et le sucre à glacer à la crème en repliant avec précaution le mélange. **Garniture aux pommes** Dans un chaudron, chauffez le beurre à feu doux et faites cuire la pomme en remuant délicatement, 10 minutes ou jusqu'à ce qu'elle commence à compoter. Ajoutez le sirop et mélangez. Faites tiédir et réservez. **Montage** Dans une grande assiette de service, placez une crêpe, puis, en alternance, couvrez de crème à l'érable, d'une crêpe, de crème de mascarpone, ainsi de suite, pour terminer avec une crêpe. Couvrez le gâteau de la garniture aux pommes et saupoudrez de pépites de sucre d'érable.

De la musique classique pour Noël

Au-delà du répertoire des chansons de Noël que nous connaissons tous, que ce soit des cantiques ou des chansons populaires, il y a de très grandes œuvres classiques. En voici trois. Ce n'est que le début d'une longue liste que vous voudrez peut-être allonger pour votre plus grand plaisir.

Oratorio de Noël, BWV 248

En musique, c'est un grand classique du temps des Fêtes. Composées par Jean-Sébastien Bach en 1734, quelques mois avant qu'il n'atteigne 50 ans, les six cantates sont consacrées aux trois jours de célébrations entourant Noël, au Nouvel An, au premier dimanche de l'année et à l'Épiphanie. L'*Oratorio de Noël* est constitué de presque un tiers de pièces composées antérieurement par Bach. Une grande et belle œuvre parfaite pour prendre une pause de fin d'année.

Enfance du Christ, op. 25

Hector Berlioz commence à composer l'œuvre en 1850. Il s'agit d'une trilogie sacrée pour solistes, chœur, orchestre et orgue.

L'œuvre sera entendue dans son intégralité pour la première fois à Paris le 10 décembre 1854, avec Berlioz lui-même à la direction d'orchestre. Le triomphe instantané qu'elle obtient ne s'est pas démenti depuis.

Première partie : « Le songe d'Hérode » ;
Deuxième partie : « La fuite en Égypte » ;
Troisième partie : « L'arrivée à Saïs ».

Concerto pour la nuit de Noël (Concerto grosso op. 6, n° 8)

La sublime pièce d'Arcangelo Corelli portait la mention « *Fatto per la notte di Natale* », c'est-à-dire « fait pour la nuit de Noël ». Le concerto aurait été écrit en 1690, bien qu'il n'ait été publié que l'année suivant la mort du compositeur. À la différence des deux autres œuvres précédemment présentées, qui sont de très longue durée, celle de Corelli fait à peine 15 minutes. Une belle introduction à ce style musical. À titre de comparaison, l'*Oratorio de Noël* de Bach peut être joué sur deux jours, sa longueur étant de plus de deux heures et demie.

J'adore Pavarotti et je suis
fou des cantiques de Noël.
Ce qui fait de ce disque
une combinaison parfaite.

¡ VIVA ESPAÑA !

Chapitre 5

Mon tout premier engagement international fut en Espagne, à Málaga, il y a un peu plus de 20 ans. Je ne pouvais pas demander mieux pour un premier contrat de cette envergure ! On m'offrait le rôle du chevalier des Grieux dans *Manon*, de Jules Massenet, mon opéra français préféré. J'avais passé une audition à Montréal pour ce grand rôle et j'étais vraiment heureux de l'avoir obtenu. J'avais joué un sergent dans cet opéra et ma seule réplique était : « C'est bien ici ? » Les échelons gravis étaient plutôt impressionnants puisque j'héritais du rôle principal masculin. Je chanterais dans les cinq actes et serais sur scène du début à la fin.

Caroline et moi sommes enchantés de la nouvelle. En plus, nous échapperons aux dernières semaines d'hiver, que nous troquerons contre la chaleur de l'Espagne. Caroline est enceinte, il faut d'abord vérifier avec son médecin si elle peut rester à l'étranger durant tout mon séjour. La dernière représentation aura lieu au début de mai, trois semaines avant la date prévue pour l'accouchement. Comme Caro est en pleine forme et que la grossesse se déroule bien, la gynécologue accepte qu'elle parte en voyage. Nous sommes fous de joie.

Avec Nathalie Paulin dans
Manon de Jules Massenet, à
l'Opéra de Québec, en 2004.
Photo : Louise Leblanc

Le théâtre Cervantes à
Málaga, en Espagne. J'y ai
interprété le chevalier des
Grieux dans l'opéra *Manon*.

Nous voilà donc partis pour Málaga, magnifique petite ville du sud du pays, sur la Costa del Sol. Déjà, le nom de la région me fait rêver. Nous atterrissons et un taxi nous conduit à l'Hostal Larios. Nous logerons sur la Calle Larios, que l'on surnomme la « Fifth Avenue » de Málaga, une magnifique rue avec ses boutiques luxueuses, ses restaurants renommés et sa vie nocturne très animée. Une fois les bagages défaits, nous sortons prendre le pouls de la ville. Pas trop longtemps, car, après le voyage en avion, il faut du repos pour Caroline, enceinte d'un peu plus de sept mois, et pour moi aussi, qui commence les répétitions dès le lendemain.

Durant les premières années de ma carrière, j'ai eu la chance de voyager avec Caroline.

La première rencontre musicale est prévue à 12 h 30, heure qui marque en fait le début de la journée pour eux. Nous sommes en Espagne et l'horaire professionnel est pensé en fonction de la sieste de deux heures en après-midi. Nous travaillons d'abord de 12 h 30 à 15 h 30, puis, après la pause, de 17 h 30 à 20 h 30, ainsi qu'en soirée de 21 h 30 à 23 h 30. Ensuite, nous allons nous détendre à la terrasse d'un restaurant pour le souper, qui commence habituellement vers 23 heures. Je me suis vite adapté à cet horaire qui me plaît beaucoup. Je suis toujours renversé lorsque je constate qu'à 9 heures du matin les rues sont vides. L'activité reprend à 10 heures et la journée peut débuter. J'arrive à l'heure battante à la première répétition. En musique classique, être à l'heure signifie que vous êtes sur place au moins 15 minutes avant pour réchauffer la voix et être prêt à la seconde où la répétition commence. Il est 12 h 30, je rencontre le chef d'orchestre, qui vient d'Angleterre, très sympathique. Étonnement, nous sommes seuls, alors que nous devrions être au moins 25 personnes. Ce n'est qu'une demi-heure après que d'autres membres de l'équipe se joignent à nous, tranquillement, sans même mentionner leur retard. Peut-être avons-nous le mauvais horaire et la répétition, en fait, commençait-elle plus tard. Non, c'est juste qu'ici les choses se font à un rythme plus lent, sans stress. Le chef d'orchestre et moi sommes tous les deux estomaqués de cette nonchalance inhabituelle dans notre métier. Il faudra attendre 13 h 30 avant que tout le monde soit à son poste, à l'exception de la soprano, qui arrivera dans quelques jours.

Les jours passent et je m'habitue au style de vie espagnol. J'ai beau partir plus tard de l'hôtel, sans m'en rendre compte, je finis par accélérer le pas et franchir la porte de la salle de répétition à l'heure inscrite à l'horaire. Que voulez-vous, après toutes ces années d'études à se faire inculquer l'importance de la ponctualité, on ne se reprogramme pas si facilement. Le chef d'orchestre anglais a les mêmes réflexes que moi et nous nous retrouvons toujours les premiers.

Le cinquième jour, la soprano m'est présentée, une femme espagnole impressionnante, vedette adulée par les habitants de Málaga. Nous répéterons musicalement les actes 1 à 4 et nous aborderons le dernier acte la semaine suivante. Il y a fort à faire pour placer en scène toute cette musique et nous maintenons la cadence.

Au bout de cette quatrième journée, la soprano disparaît et ne vient plus aux répétitions. D'abord, on annonce qu'elle est très malade et doit se reposer, puis on m'avoue être sans aucune nouvelle d'elle, mais on me dit de ne pas m'inquiéter, qu'elle reviendra. J'aurais pu les aider à la trouver, car Caroline la croisait de temps en temps sur la plage. Et il semble qu'elle n'avait pas trop l'air malade. J'ai préféré ne rien dire et j'ai poursuivi les répétitions en solo, sans partenaire. Imaginez-moi dans la pratique d'un duo d'amour où je m'adresse à une soprano invisible. J'y mets toute l'intensité nécessaire alors que je chante dans le vide, sans recevoir de réplique, sinon celle du chef d'orchestre qui tente de m'aider en chantant les passages de *Manon*.

Nous sommes maintenant à la semaine de production, c'est-à-dire sur la scène du théâtre Cervantes, en costume, avec les décors et l'orchestre. Il y a toujours au moins quatre répétitions sur scène avant la première, deux avec piano seulement et deux avec l'orchestre. Après la deuxième répétition, on me demande si je connais une soprano qui a dans son répertoire l'opéra *Manon* et qui le chanterait avec moi. Effectivement, quand je tenais le minuscule rôle du sergent, la soprano Maria d'Aragnès, une Française, était une collègue d'une grande gentillesse. Si elle est libre, elle pourrait se joindre à nous rapidement. Heureusement, elle arrive le lendemain. Nous revoyons la mise en scène avec elle, les costumes sont ajustés, et cela, à quelques heures de la générale du soir même. Une tâche colossale.

Je me rends à la loge de Maria d'Aragnès et je la sens fébrile, mais tout de même maîtresse d'elle-même, car elle connaît bien le rôle. La générale se passe sans problème et je suis très soulagé. Le lendemain est une journée de repos avant la première.

À mon retour au théâtre, le surlendemain, je suis plus nerveux que normalement : c'est mon premier opéra en Europe et les préparatifs ont été pour le moins tumultueux. J'essaie de me convaincre que tout ça est derrière nous et que ça ira pour le mieux. Je suis dans ma loge à me préparer, à me maquiller et à organiser mes coiffures. Il y a autant de perruques que d'actes. J'entends frapper à ma porte et au moment où la porte s'ouvre, je reconnais le visage de la soprano disparue. Elle s'adresse à moi sans préambule, sans même me saluer : « C'est moi qui joue Manon ce soir. Tu n'as pas d'objection ? » Euh... oui (dans ma tête, c'est la réponse qui jaillit spontanément). « Euh... non, pas de problème. » Elle tourne les talons et se dirige vers sa loge. J'ai l'impression de vivre un mini-cauchemar, d'avoir des visions, d'entendre des voix. Est-ce possible ? Elle sera sur scène ce soir, ce qui veut dire que le cinquième acte, nous ne l'avons jamais chanté ensemble. Un long duo compose presque la totalité de l'acte et nous n'en avons pas placé la mise en scène.

Quand je regarde cette photo, j'ai l'impression que j'avais 16 ans lorsque je jouais le chevalier des Grieux.

Quelle soirée bizarre. La soprano a oublié plusieurs de ses lignes chantées, se plaçant, à ces moments-là, dos au public. Le cinquième acte fut une improvisation totale.

Le spectacle se termine très tard. En principe, il doit commencer à 21 heures, mais les spectateurs n'étaient pas à leur place avant 21 h 30. Le programme prévoit deux entractes et, chaque fois, les gens sortent pour aller prendre un verre et fumer, ce qui prolonge les pauses jusqu'à 30 à 40 minutes chacune. Il doit être 1 h 30 du matin quand enfin le rideau tombe. Je suis exténué, pas vocalement, pas physiquement, mais mentalement. Le stress, la tension constante m'ont complètement vidé. Je veux seulement rentrer à l'hôtel. Je suis dans ma loge, en nage, à essayer de reprendre mes esprits quand on cogne à ma porte. S.V.P, faites que ce ne soit pas la soprano qui vient discuter. Ce n'est pas que je veux la bouder, je veux juste décanter, récupérer. Je me lève et j'ouvre la porte. Une joyeuse bande de Québécois en vacances ont vu mon nom sur l'affiche et ont assisté au spectacle. Wow, il n'en fallait pas plus pour me faire oublier les difficultés de la soirée !

Finalement, les autres représentations se passeront bien, mais sans que le contact s'établisse avec la soprano, peu coopérative. Dommage pour elle ! Après la dernière, nous avons eu une très belle fête. Je n'étais pas certain d'y prendre part, puis on m'a persuadé que la production était un succès, que j'y avais grandement contribué et que je devais y assister. À cette soirée, il s'est passé quelque chose d'assez singulier. Notre soprano, qui s'était mis pas mal toute l'équipe à dos, est arrivée deux heures après tout le monde, et je ne sais pas si le mot s'était passé, mais toute la production l'a complètement ignorée. Bien sûr, elle avait dépassé les limites de ce qui est acceptable, mais de voir que personne ne lui prêtait attention m'a tout de même causé un malaise.

* * *

PASSONS À TABLE

Mon menu à la fête

Je me souviens de cette fête comme si c'était hier. Il y a des soirées qu'on n'oublie jamais, celle-là en fait partie. Au moment de m'asseoir au restaurant, je me souviens que, soudainement, j'ai ressenti un grand sentiment de délivrance comme si la pression que j'avais sur les épaules s'envolait avec le fumet de cette soupe.

SOUPE AU PISTOU

* Je sais bien, en ajoutant des noix, je m'écarte de la recette originale, mais j'aime ça !

6 portions

Pistou
- 4 gousses d'ail
- 1 grosse tomate en cubes
- 180 ml (¾ tasse) de feuilles de basilic
- 60 ml (¼ tasse) de noix de pin* grillées
- 80 ml (⅓ tasse) de parmesan râpé
- 4 c. à soupe d'huile d'olive
- Sel et poivre

Soupe
- 1 c. à soupe d'huile d'olive
- 1 oignon haché
- 2 gousses d'ail hachées
- 2 pommes de terre en quartiers
- 2 carottes en dés

- 1 boîte de 796 ml (28 oz) de tomates en dés
- 1,5 l (6 tasses) de bouillon de poulet
- 1 courgette en cubes
- 250 ml (1 tasse) de haricots verts en tronçons de 2 cm (¾ po)
- 1 boîte de 540 ml (19 oz) de haricots blancs rincés
- 125 ml (½ tasse) de petits pois surgelés
- 125 ml (½ tasse) de petites pâtes de type orzo
- Emmental râpé
- Sel et poivre

J'aime viscéralement cette soupe que je dévore avec une grosse tranche de pain grillée, badigeonnée d'huile d'olive et frottée d'une gousse d'ail.

Pistou Je fais toujours le pistou d'avance, mais vous pouvez le préparer pendant que la soupe mijote. Ce peut être au robot culinaire, au mélangeur ou au pilon, c'est votre choix. Pour ma part, j'apprécie la rapidité du robot. Mettez tous les ingrédients dans le récipient du robot et broyez jusqu'à l'obtention d'une purée. Réservez. **Soupe** Dans une casserole, chauffez l'huile à feu moyen et faites revenir l'oignon jusqu'à ce qu'il soit transparent. Ajoutez l'ail et poursuivez la cuisson 1 minute. Ajoutez la pomme de terre, la carotte, et faites sauter 5 minutes en remuant de temps en temps. Incorporez la tomate, salez, poivrez et versez le bouillon. Portez à ébullition, baissez le feu et laissez mijoter 30 minutes. Ajoutez la courgette, les haricots verts, les haricots blancs, les petits pois et les pâtes, et laissez mijoter 10 minutes. Retirez les morceaux de pommes de terre et écrasez-les grossièrement à la fourchette puis remettez-les dans la casserole. Mélangez à la soupe la moitié du pistou et réservez le reste pour le service. Faites mijoter à feu très doux 5 minutes de plus. Rectifiez l'assaisonnement. Au moment de servir, garnissez chaque bol de soupe d'une généreuse cuillerée de pistou et d'un peu d'emmental râpé.

LASAGNE VÉGÉ AUX TOMATES, ÉPINARDS ET FROMAGE

Même si je suis un amateur de lasagne à la sauce bolognaise, celle-ci est ma préférée. Elle convient à toutes les saisons, bien qu'à la fin de l'été, quand les grosses tomates sont le plus savoureuses, ce soit encore meilleur !!!

8 portions

- 1 c. à soupe d'huile d'olive
- 600 g (1 ⅓ lb) de jeunes épinards
- 1 contenant de 475 g de fromage ricotta
- 500 g (1 lb) de lasagnes
- 2 bocaux de 180 g de pesto de basilic
- 8 grosses tomates en tranches de 1 cm (⅜ po) d'épaisseur
- 120 g (4 oz) de parmesan râpé
- 310 g (11 oz) de mozzarella râpée
- Sel et poivre

Dans une grande poêle, chauffez l'huile à feu moyen et faites tomber les épinards. Dans un bol, amalgamez les épinards et la ricotta. Salez et poivrez. Préchauffez le four à 190 °C (375 °F). Faites cuire les pâtes selon les indications du fabricant. Réservez. Badigeonnez le fond d'un plat de cuisson de 23 x 33 cm (9 x 13 po) du tiers du pesto. Étalez un premier rang de pâtes et couvrez-les de la moitié des tranches de tomates. Saupoudrez de la moitié du parmesan. Ajoutez un deuxième rang de pâtes et la moitié du pesto restant. Étalez avec précaution le mélange d'épinards et superposez ce qui reste de tranches de tomates. Ajouter la dernière couche de pâtes et badigeonnez du restant de pesto. Éparpillez ce qui reste de parmesan et la mozzarella. Mettez au four 40 minutes et régalez-vous !

De l'opéra en français

Je vous disais, en racontant cette histoire, que *Manon* est mon opéra français préféré. C'est bien vrai, mais j'ai envie de vous parler en plus de deux opéras en français que j'ai chantés et que j'aime beaucoup.

Manon

Cet opéra-comique en cinq actes de Jules Massenet sur un livret d'Henri Meilhac et de Philippe Gille est une transposition du roman *Manon Lescaut*, de l'abbé Prévost, publié en 1731. L'histoire du chevalier des Grieux a été présentée au théâtre national de l'Opéra-Comique de Paris le 19 janvier 1884. C'est l'un des opéras les plus populaires du répertoire français, sans doute celui qui nous prouve l'immense talent du compositeur en matière de musique romantique. Massenet a été d'abord un pianiste prodigieux, également timbalier, mais la composition, en particulier en art lyrique, assurera sa postérité avec 450 œuvres, dont pas moins de 25 opéras !

Les Pêcheurs de perles

Georges Bizet a créé cet opéra en trois actes le 30 septembre 1863 au Théâtre-Lyrique, à Paris. La réception du public est plutôt bonne, bien que les critiques soient assassines et même méprisantes. Seul le compositeur Hector Berlioz qualifie l'opéra élogieusement : « La partition de cet opéra [...] contient un nombre considérable de beaux morceaux expressifs pleins de feux et d'un riche coloris. » Il n'a plus été rejoué du vivant du compositeur. Ce n'est qu'en 1893, à l'Opéra-Comique, à Paris, qu'une nouvelle version de l'œuvre sera présentée.

L'histoire se situe sur l'île de Ceylan et raconte comment le serment d'amitié éternelle entre deux hommes est ébranlé par l'amour que tous les deux portent à la même femme. Elle-même est torturée par le choix qu'elle doit faire entre son amour pour le pêcheur Nadir et son vœu de prêtresse. Des amours complexes... eh oui, nous sommes à l'opéra ! Chantée par un ténor, la romance de Nadir, dont le titre est « Je crois entendre encore », est l'un des plus beaux airs de tout le répertoire opératique. Elle est reconnue pour son haut degré de difficulté, et ça, je peux vous le confirmer.

Les Contes d'Hoffmann

Jacques Offenbach meurt en octobre 1880, quelques mois avant la création de son opéra en cinq actes, sans avoir terminé la partition. Après de nombreuses coupures, des ajouts, différents changements apportés par Ernest Guiraud, qui en a fait aussi l'orchestration et qui a composé les récitatifs, la première a lieu le 10 février 1881 à l'Opéra-Comique, à Paris. Guiraud avait déjà fait cela après la mort de Georges Bizet pour *Carmen*. *Les Contes d'Hoffmann* figurent parmi les opéras français les plus joués dans le monde.

Cinq courtes définitions pour s'y retrouver

Un **opéra-comique** est un genre d'opéra où les scènes chantées alternent avec des dialogues parlés.

Un **opéra bouffe** est un opéra dont le sujet est comique ou léger.

Un ***opera seria*** est un opéra de tradition et de langue italiennes caractérisé par sa noblesse et son ton sérieux.

Un **grand opéra** est un genre du XIXᵉ siècle qui se déploie habituellement en quatre ou cinq actes. On l'a ainsi nommé à cause de l'envergure de la distribution artistique et de l'orchestre, ainsi que de la somptuosité des costumes et du décor. L'histoire, en général, est inspirée d'un événement historique dramatique.

Une **opérette** réunit à la fois la comédie parlée, le chant et, la plupart du temps, la danse.

Les Contes d'Hoffmann de Jacques Offenbach, en duo avec Mélanie Boisvert. Une production de l'Opéra de Québec durant la saison 2004-2005. Photo : Louise Leblanc

NOUVELLES ÉROTIQUES

Chapitre 6

Je viens de terminer un engagement à l'extérieur et je suis sur le chemin du retour. C'est le printemps et la journée est magnifique. J'ai très hâte de retrouver mes trois belles filles et ma blonde. En arrivant devant l'entrée du domaine Les Bories, où j'habite, à Morin-Heights, je fais un arrêt à la boîte postale pour prendre le courrier : une multitude de factures, deux prospectus, mais aussi un colis. C'est toujours excitant de recevoir un paquet inattendu. Maintenant, on nous en livre régulièrement, mais en 2007, ce n'était pas le cas.

Sitôt assis dans la voiture, je décide de l'ouvrir. Je suis curieux de voir ce qu'il contient. Deux lettres accompagnent l'envoi : une de l'Union des artistes m'indiquant qu'elle a reçu la boîte à mon attention et une autre de l'expéditrice, qui m'explique sa démarche. Mme Laberge m'écrit qu'elle a assisté à un de mes concerts et qu'elle a tellement aimé sa soirée que l'idée d'écrire un livre lui est venue. En fait, je devrais plutôt dire un chapitre dans un livre. Elle m'annonce qu'il sera publié sous peu et me fait parvenir cet exemplaire dédicacé. Quelle gentillesse ! me dis-je. Je suis vraiment heureux de cette attention.

Je reprends la montée vers la maison, qui est tout en haut du domaine. Lorsque j'arrive, mes filles et leur maman, Caroline, s'amusent dehors. C'est une des premières journées chaudes. Il fait tellement bon qu'elles sont sorties sans manteau. Ah ! le bonheur des premiers rayons de soleil sur notre peau. Je n'ai pas besoin de vous donner de détails. Au printemps, dès que la température monte, une agréable sensation nous envahit.

Je m'empresse de sortir de la voiture, prêt à vivre de nouveau la plus belle chose au monde : mes enfants qui courent pour me sauter dans les bras. Je prends le temps de jouer avec mes filles tout en guettant le moment propice où je pourrai raconter à Caro la surprise que je viens de recevoir.

Je réclame à mes trois adorables fillettes une pause et me dirige vers Caro.

« Regarde ce qu'il y avait pour moi dans la boîte aux lettres. Tu imagines, quelqu'un a écrit un livre en pensant à moi. Wow ! J'en reviens pas !

— Hein ? Montre-moi ça. Voyons donc...

— Oui, oui, je te jure. La dame dit qu'elle a été inspirée durant mon concert. C'est pas fabuleux ça ? »

En tournée avec mes fidèles musiciens, qui sont presque tous avec moi depuis mes débuts : Francois Pilon au violon et Guy Kaye à la guitare.

Je lui tends le petit livre format poche qui me rend si content. Elle regarde la couverture, puis me dévisage d'un air interrogateur, avant de me poser une question :

« Marc, as-tu lu le titre du livre ?

— Ben, oui, il me semble que c'est quelque chose comme *L'élan de passion*. C'est fascinant, la dame a senti toute l'intensité que je mets à chanter. C'est fou, parce que, tu sais, on se demande toujours comment les gens accueillent ce que l'on transmet sur scène et...

Photo : Michel Pinault

— Stop, Marc, arrête, je comprends ton emballement, mais as-tu lu les petits caractères en dessous du titre ?

— Euh... j'avoue que non, j'étais peut-être trop enthousiaste pour voir les petits caractères ! »

Elle me passe le livre et c'est avec effarement que je lis : *Nouvelles érotiques*. Quoiiiiiii !

J'en suis bouche bée. Puis, un regard à Caro suffit pour que nous soyons tous les deux pris de fou rire... sans pouvoir nous arrêter. Mon concert l'a émoustillée au point de l'amener à pondre des nouvelles érotiques. Là, c'est encore plus vrai : je n'en reviens pas. Nous sommes très curieux de lire le texte. L'autrice a placé un signet au chapitre qui me concerne. « Continuez à jouer dehors, les filles. » Nous ne souhaitons pas qu'elles entendent notre lecture. Bien installés sur le balcon, un œil en direction des enfants pour les surveiller et, surtout, pour les garder à l'écart de notre « lecture d'adultes » ! Nous lisons à voix haute le titre de la nouvelle : « De grands airs plutôt inspirants », mais

Un passage du recueil de l'autrice à l'imaginaire fertile et à la verve poétique. Une façon de décrire mon concert qui m'a fait rougir !

poursuivons en chuchotant. Après la première page, je comprends immédiatement à quel concert la dame a assisté. La description qu'elle en fait est si juste que je me rappelle l'endroit, le programme musical, la température très chaude — encore plus torride pour elle, semble-t-il —, je me souviens de tout. Le chapitre est assez court, à peine 9 pages, qui se terminent à la page 69 du livre. Je n'invente rien ! Elle y décrit les fantasmes qu'elle vit à chacune des pièces que le ténor chante, que JE chante. Je n'ai jamais rencontré cette personne. Quoique… peut-être est-elle venue me saluer après le spectacle ou peut-être qu'elle n'a pas osé et se présentera la prochaine fois, car le texte se conclut sur la possibilité d'assister à un autre concert. C'est quand même assez cocasse.

Si vous avez lu *Bon vivant !*, le premier livre, vous vous rappellerez les soirées thématiques que nous organisions, à tour de rôle, avec trois couples d'amis. Il fallait choisir un pays et élaborer un menu, du cocktail au dessert, selon les traditions du pays retenu. La soirée comportait aussi une partie divertissement, avec le défi d'épater les convives. Que de découvertes culinaires nous avons faites et que de coutumes amusantes nous avons « subies » ! Nous avions aussi l'habitude de convier des invités surprises. Mais ce qui reste de ces soirées avant tout, c'est le plaisir et les grands éclats de rire partagés.

La deuxième année, nous avons haussé d'un cran l'« épreuve » en imposant deux thèmes par soirée. Caroline et moi avons pigé les sujets suivants : les quatre saisons et la littérature. Le défi, donc, était de les intégrer à la réception sans les nommer, afin que nos amis les devinent.

Caro et moi nous entendons rapidement sur ce que nous voulons concocter comme plats aux arômes saisonniers. Il ne reste qu'à déterminer ce que nous allons présenter autour de la littérature. C'est Caroline qui a eu l'idée d'utiliser le recueil de nouvelles érotiques. Son scénario est génial.

Par une magnifique fin de journée d'été, nous recevons nos invités et allons nous asseoir à la terrasse, où seront servis les cocktails aux noms très évocateurs des saisons. La lecture du menu dissipe toute ambiguïté, et nous sommes vite démasqués sur un des deux thèmes. Tout en dégustant les boissons rafraîchissantes, parfaites pour l'occasion, je leur raconte la surprise incroyable reçue quelques mois plus tôt : le livre d'une admiratrice. Je dois vous dire que ces soirées ont toujours été très animées. Les participants sont en général exubérants, parfois même débridés. À la demande générale, je rentre chercher le livre et on me réclame de lire la fameuse nouvelle. Évidemment, les passages les plus croustillants. Comme mes amis sont très imaginatifs, les blagues de toutes sortes fusent à la vitesse de l'éclair. Le rire est contagieux et les éclats de voix, particulièrement haut perchés. Les commentaires que les extraits provoquent ne sont pas d'une grande délicatesse. Avec ce brouhaha, Caroline doit intervenir à quelques reprises pour me rappeler de parler moins fort, d'être plus discret. Mais je fais la sourde oreille, bien sûr, car, au contraire, j'attise les réactions de mes invités.

Je finis par révéler que notre deuxième thème porte sur la littérature et que nous avons l'autrice du livre qui viendra discuter avec nous. Aussitôt que je dis cela, une dame apparaît derrière la moustiquaire de la porte-fenêtre. Nos amis réalisent soudainement qu'elle a forcément entendu les mauvaises blagues et les commentaires désobligeants émis par tout le monde pendant au moins une trentaine de minutes. Il faut voir la tête qu'ils font tous ! Il y en a un qui me fusille du regard, avec l'air de dire « comment as-tu pu créer une situation aussi malaisante ? » Ils sont tous éberlués et silencieux. Il y en a même une qui a couru se cacher derrière la causeuse, certainement morte de honte.

L'autrice s'approche et un des invités, animateur à la télévision, tente de rattraper la situation en l'interrogeant sur le propos du livre tout en se confondant en excuses de façon très subtile. Elle a droit à une interview dans les règles de l'art et notre animateur glisse habilement sur la mauvaise conduite que le texte leur a inspirée. La dame répond courageusement et ajoute qu'elle est très contente de faire la connaissance de plusieurs de ses vedettes préférées de la télévision.

Les autres sont encore sous le choc, bien que l'atmosphère se détende tranquillement. Caroline et moi devinons bien que nos amis sont très fâchés d'avoir été piégés de la sorte. Quarante-cinq minutes s'écoulent avant que la dame ne se lève et n'annonce son départ. « Merci tout le monde de votre inté-rêt. Ç'a été un plaisir de vous rencontrer. » Elle se dirige vers la porte, la franchit, puis se retourne et salue une dernière fois en disant : « Caroline et Marc, merci, on se revoit mercredi pour le ménage. Bye ! »

C'est ainsi que nos amis découvrent que cette dame n'est nulle autre que Johanne, notre femme de ménage, une aide-ménagère fabuleuse qui a accepté de jouer le jeu et d'être complice de ce coup pendable. C'est ici que je conclus ce récit, car le soulagement ressenti par nos amis est indescriptible. En une fraction de seconde, la tension est tombée et la stupéfaction visible sur leur visage a fait place à de larges sourires. Ouf !

Personne, absolument personne, ne s'est douté de la supercherie. Le quiproquo a marché à fond et l'équipe que nous formons, Caroline et moi, est bien fière… encore 10 ans plus tard !

* * *

PASSONS À TABLE

Au menu de notre soirée

En prévision de ces soirées, les nombreuses heures passées à la recherche et à la préparation étaient tellement amusantes. En plus, nous avions plusieurs règles à suivre : la principale étant de ne pas goûter d'avance la recette. Donc, durant les repas, il nous est arrivé d'avoir de drôles de surprises. N'ayez crainte, celles-ci ont été testées et approuvées !

LE
STRAWBERRY
GIN FOREVER

Nous avions quatre drinks différents pour cette soirée d'été sur la terrasse. Celui-ci est mon préféré, car j'adore le gin combiné aux fraises du Québec. Tout de même, faites gaffe. Vous voudrez en reprendre, mais après cinq ou six... je ne suis pas responsable de votre comportement !

1 verre

· 60 ml (¼ tasse) de gin de votre choix
  (il y en a d'excellents produits au Québec)
· 5 grains de poivre noir
· 2 feuilles de menthe
· 4 fraises du Québec
· Jus de ½ lime
· Glaçons
· Eau tonique, au choix
· 1 rondelle de lime pour la décoration

Dans un grand verre, versez le gin, ajoutez les grains de poivre et la menthe. Laissez infuser de 5 à 7 minutes. (Vous pouvez faire cette préparation à l'avance.) Rincez les fraises et équeutez-les. Dans un petit bol, écrasez 3 fraises pour obtenir une purée grumeleuse. Coupez la quatrième en fines tranches. Filtrez le gin et remettez-le dans le verre. Ajoutez le jus de lime, la purée de fraises et mélangez. Mettez quelques glaçons et remplissez le verre d'eau tonique. Garnissez d'une rondelle de lime et des tranches de fraise réservées.

PIZZA OIGNONS-CHAMPIGNONS-OLIVES

1 pizza de 30 cm (12 po)

- 3 c. à soupe et plus d'huile d'olive
- 2 gros oignons espagnols en tranches
- 2 barquettes de 227 g de champignons blancs en lamelles
- ½ c. à thé d'origan
- 1 pâte à pizza de 500 g (1 lb)
- 1 c. à soupe de semoule de maïs
- 250 ml (1 tasse) d'olives noires dénoyautées
- Miel ou crème de balsamique
- Sel et poivre

Préchauffez le four à 230 °C (450 °F). Dans une grande poêle, à feu vif, chauffez 2 c. à soupe d'huile et faites caraméliser les oignons. Réservez. Dans la même poêle, ajouter un 1 c. à soupe d'huile et faites griller les champignons jusqu'à ce qu'ils soient bien dorés. Ajoutez les oignons, l'origan, salez et poivrez. Huilez une plaque à pizza de 30 cm (12 po) de diamètre. Saupoudrez-la de semoule de maïs. Déposez la pâte sur un plan de travail fariné et laissez reposer 5 minutes. Avec les mains légèrement farinées ou un rouleau à pâte, formez un cercle un peu plus grand que la plaque, environ 33 cm (13 po). Transférez sur la plaque et repliez les bords pour former une bordure bien arrondie. Couvrez d'une pellicule plastique et laissez reposer 15 minutes ou jusqu'à ce que la pâte lève légèrement. Badigeonnez-la d'un peu d'huile et étalez le mélange d'oignons et de champignons. Éparpillez les olives. Enfournez 15 minutes ou jusqu'à ce que la croûte soit dorée. À la sortie du four, ajoutez un peu de miel ici et là. Transférez la pizza sur une grande planche à découper. Coupez en petites pointes. À l'apéro, ces bouchées deviendront instantanément le centre d'attraction de votre terrasse.

Si vous avez une pierre à pizza, chauffez-la sur le barbecue et faites-y cuire la pizza qui gagnera en goût.

LES CÔTELETTES D'AGNEAU STYLE LIBANAIS

Le barbecue est, selon moi, la meilleure façon de recevoir des gens à la maison. D'abord, c'est très rassembleur, tout le monde aime discuter autour de l'appareil tandis que le chef fait aller ses ustensiles. Ça sent divinement bon et on trouve toujours des volontaires pour goûter, tester la cuisson et transporter les plateaux sur la table. Grâce à mes installations, c'est une cuisson que je pratique à l'année longue. Beau temps, mauvais temps !

4 portions

- 8 côtelettes d'agneau du Québec
- 8 c. à soupe d'huile d'olive
- Jus et zeste de ½ citron
- 4 gousses d'ail
- 2 c. à soupe de cumin
- 1 c. à soupe de cannelle
- 1 c. à thé de coriandre
- 1 c. à thé de paprika
- 1 clou de girofle broyé
- 1 branche de romarin
- 1 branche de thym
- 125 ml (½ tasse) de persil haché
- Sel et poivre

Dans un grand plat rectangulaire, étalez les côtelettes. Salez et poivrez généreusement de chaque côté. Dans un bol, mélangez tous les autres ingrédients et enrobez uniformément les côtelettes. Laissez mariner au frigo au moins 12 heures. Chauffez le barbecue à intensité vive. Placez les côtelettes sur la grille et réduisez le feu à intensité moyenne-vive. Deux minutes de cuisson de chaque côté et hop, retirez les côtelettes. Placez-les dans du papier d'aluminium et laissez reposer de 5 à 10 minutes. Servez tout simplement avec une bonne salade composée.

Les grandes symphonies

Pour accompagner tous les moments de ma vie, il y a de la musique. Je l'ai souvent dit, je préfère l'époque romantique. Voici une suggestion de cinq symphonies pour ceux qui souhaitent intégrer la musique classique à leur vie.

La Symphonie n° 6 en si mineur, op. 74, dite « Pathétique »,

Composée par Piotr Ilitch Tchaïkovski entre février et août 1893, elle est surnommée « Pathétique » par son frère. Il avait d'abord proposé le titre « Tragique » que l'extrême tourmente que l'on peut entendre tout au long de l'œuvre lui inspirait. Tchaïkovski ne retient pas la proposition, mais reconnaît qu'il a beaucoup pleuré en composant l'œuvre.

La Symphonie n° 9 en mi mineur, op. 95, dite « Du Nouveau Monde »

Composée par Antonín Dvořák en 1893 et présentée le 15 décembre de la même année par l'Orchestre philharmonique de New York au Carnegie Hall. Sans aucun doute, c'est la plus connue des symphonies de ce compositeur et l'une des grandes œuvres du répertoire symphonique moderne. Quand vous arriverez au quatrième mouvement, vous découvrirez que les premières notes ont inspiré John Williams pour la célèbre musique du film *Jaws*. Autre fait amusant, Neil Armstrong avait avec lui un enregistrement de cette symphonie lors de la mission Apollo 11 (celle qui a mené au premier pas d'un homme sur la Lune, en 1969).

La Symphonie n° 3 en mi bémol majeur, op. 55, dite « Héroïque »

La troisième des neuf symphonies de Ludwig van Beethoven fut créée le 7 avril 1805 au Theater an der Wien, à Vienne. Une des œuvres les plus populaires de Beethoven. Lui-même, semble-t-il, la préférait à toutes les autres. Certains spécialistes la considèrent comme annonciatrice du romantisme musical. (C'est pour ça que je l'aime !)

Piotr Ilitch Tchaïkovski

Ludwig van Beethoven

La Symphonie n° 8 en mi bémol majeur, dite
« Des mille »

    L'œuvre de Gustav Mahler fut composée en
1906 et terminée en 1907. La première représentation de cette symphonie a lieu le 12 septembre
1910 à Munich. Elle mettait en scène : huit
solistes, un chœur de 500 chanteurs, un chœur
de 350 enfants, un orchestre de 171 musiciens,
pour un total de 1029 personnes. C'est pour
cette raison que l'impresario de Mahler lui
donnera le titre de symphonie « Des mille »
participants. Le compositeur n'approuve pas
vraiment ce titre, mais c'est tout de même de
cette façon qu'on l'appelle aujourd'hui. Voilà pour
l'anecdote. Écoutez maintenant la puissance de
cette œuvre.

La Symphonie n° 3 en fa majeur, op. 90

    Composée par Johannes Brahms durant
l'été 1883, près de six ans après la création de
sa deuxième symphonie, c'est la plus courte
de ses quatre symphonies et probablement la
plus personnelle. Les quatre mouvements se
terminent dans une atmosphère de calme. Si
vous prêtez attention au troisième mouvement,
vous réaliserez que Frank Sinatra, Serge
Gainsbourg, Yves Montand et même le guitariste
Carlos Santana s'en sont inspirés pour une de
leurs pièces.

Johannes Brahms

CRIC-CRAC

Chapitre 7

Je reçois une belle invitation de l'Orchestre symphonique de Sherbrooke et de son maestro, mon ami Stéphane Laforest. Il s'agit d'un concert du temps des Fêtes présenté à la salle Maurice-O'Bready du Centre culturel de l'Université de Sherbrooke. Depuis 20 ans, et bien que je n'aie jamais fait le décompte, je suis à peu près certain que nos collaborations dépassent le chiffre de 200 fois. Le temps des Fêtes est une période de l'année souvent faste en concerts. Celui-ci sera mon dernier avant les vacances, le 35e en 42 jours. Grâce à un solide système immunitaire, une énergie inépuisable et une bonne technique vocale, j'ai la chance d'être encore en voix, de ne pas être malade ni trop fatigué.

J'ai mes habitudes dans cette ville, alors, dès mon arrivée, je m'installe à l'hôtel et j'en profite pour réviser les partitions et les paroles avant d'aller répéter avec tout ce beau monde : 75 personnes et parfois plus si un chœur se joint à l'orchestre.

En musique classique, il y a très peu de répétitions. Les solistes autant que le chef et l'orchestre doivent arriver bien préparés. La première répétition se tiendra en soirée, la générale se fera le lendemain matin et le concert sera donné en après-midi.

Partitions sous le bras, je quitte la chambre et me rends à ma voiture. À la seconde où je pose la main sur la poignée de la portière, je glisse sur une plaque de glace couverte de neige et me voici les deux pieds en l'air, le corps presque à l'horizontale. Pour éviter d'atterrir sur mon fessier, d'un geste rapide et précis, je fais un 180 degrés afin d'appuyer ma main gauche sur l'auto sans décrocher ma main droite de la poignée. La fraction de seconde que me prend la chorégraphie se termine par un très sonore cric-crac ! Je l'ai entendu et je l'ai surtout ressenti.

Je parviens à me remettre sur mes deux pieds, je m'étire, je bouge les bras, les jambes : aucune douleur, tout semble bien fonctionner. Je pousse un grand soupir de soulagement et file vers la salle de répétition. En arrivant, je raconte ma mésaventure, mimiques légèrement exagérées à l'appui pour faire sourire. La répétition dure trois heures et, une fois terminée, je regagne ma chambre pour me reposer. En prévision de la générale à 10 heures et du concert à 14 heures, j'ai la sagesse de me mettre au lit à 23 heures. Je n'ai pas le temps de compter jusqu'à 10 que je suis endormi.

En plus de 20 ans, j'ai collaboré au moins 200 fois avec mon ami, le maestro Stéphane Laforest.
Photo : Michel Pinault

Une relation de travail qui est devenue une grande amitié.

Quand j'ouvre les yeux le lendemain, à sept heures, je suis dans la même position qu'en me couchant. Je me sens reposé. Wow, quelle bonne nuit de sommeil ! Mais au moment de repousser les couvertures pour sortir du lit, je réalise que je ne peux absolument pas bouger. J'ai le dos complètement bloqué. À chacune de mes tentatives, la douleur est intense, alors qu'immobile je ne ressens rien. Je ne parviens même pas à étirer le bras pour atteindre mon cellulaire et demander du secours. Mais appeler qui ? Je glisse du matelas pour me retrouver à genoux devant mon lit. J'ai l'impression d'avoir couru le marathon et pourtant je n'ai pas fait un pas. J'attrape enfin mon téléphone pour joindre Stéphane Laforest, qui est aussi à l'hôtel. « Salut, Stéphane. C'est Marc, j'espère que je ne te réveille pas. Tu sais ce qui m'est arrivé hier, eh bien !... c'est aujourd'hui que ça se manifeste. J'ai le dos coincé et j'aurais besoin de ton aide. »

En quelques secondes, il est à ma porte et cogne. « Attends, je viens t'ouvrir, mais sois patient, ça peut être long ! » Stéphane constate que ce n'est pas une de mes blagues. (Ben oui, j'aurais pu lui jouer un tour de ce genre. Ce n'aurait pas été la première fois.)

« Qu'est-ce qu'on fait ? Je peux certainement chanter, mais me déplacer, c'est une autre histoire. » Il propose rapidement une solution : l'hôtel offre des services de massothérapie. Je pourrai certainement obtenir un rendez-vous d'urgence et soulager mes douleurs. Stéphane me dit : « Oublie la générale, tu connais bien tes pièces. Tu viendras directement au concert. »

En moins de temps qu'il ne faut pour se faire un tour de reins, j'ai un rendez-vous à 10 heures avec une thérapeute. Péniblement, j'arrive au centre de soins. Je n'ai même pas besoin de me présenter. Ce n'est pas parce que la dame me reconnaît, mais elle m'identifie tout de suite comme « le monsieur au dos bloqué ». Elle m'a vu arriver longtemps avant que je ne sois devant elle.

Appuyé au mur, je me déplace à mini-pas. Elle m'indique le vestiaire pour m'y changer et m'invite à m'allonger sur la table de massage. Je m'exécute « lentissimo », pour faire un très mauvais jeu de mots ! À la fin du massage, je suis persuadé que les bons soins de mains expertes m'ont fait le plus grand bien et que je suis un homme rétabli. La thérapeute me dit de prendre mon temps et, lorsque je serai prêt, d'aller me rhabiller. Je reste ainsi quelques minutes de plus. Au moment où je décide de me relever, je me sens encore plus mal en point. Impossible de me remettre debout. Je prends une grande inspiration et j'applique de nouveau ma technique du matin : je roule sur le ventre, glisse de la table pour me retrouver à genoux — très élégant —, puis sur mes deux pieds. Je vais au vestiaire en m'appuyant sur les murs. Le temps que ça me prend pour enfiler mes vêtements est surréaliste, mais je réussis. Est-ce que j'ai amélioré mon sort ou mon mal a plutôt empiré ?

Une musicienne de l'orchestre m'avait donné le numéro de téléphone de son ostéopathe la veille… au cas où. Je me dis que je n'ai rien à perdre au point où j'en suis. Il me répond et me dit qu'il attendait mon appel — ah, bon — et que je peux passer immédiatement. Avec beaucoup de difficulté et de nombreuses pauses entre chacun de mes mouvements, je monte dans ma voiture. Ce n'est pas drôle, mais je me permets de rire de moi, tout de même.

Il m'ausculte d'abord et, après une heure de cric-crac, j'ai la faible impression d'aller mieux. Que c'est fort la pensée positive, ha, ha ! On me confirmera plus tard que ce n'est pas étonnant que ces deux traitements aient aggravé mon mal de dos.

Je repasse par l'hôtel pour prendre mes vêtements de scène et je me rends à la salle du concert qui commence dans 30 minutes. Tous sont soulagés de me voir, bien qu'en me regardant ils se demandent comment je pourrai chanter dans cette posture !

Que l'on m'apporte un tabouret et un lutrin sur scène et je pourrai m'y appuyer, particulièrement durant les notes aiguës !

J'appelle Caroline à la maison pour tout lui raconter et, surtout, lui demander de venir me chercher. Conduire pendant trois heures entre Sherbrooke et Morin-Heights me paraît infaisable.

« Marco, tu te souviens que nous partons pour le Mexique demain matin à six heures pour nos vacances familiales ?

— Oui, je sais, mon amour. Je serai correct. Ne t'en fais pas. »

Pour dire vrai, je n'avais pas pensé à ce « petit » détail à notre calendrier. Une chose à la fois. J'ai d'abord au programme un concert avec un orchestre symphonique devant plus de 1200 spectateurs.

Le premier violon, Élaine Marcil, entre sur scène. Le premier accord de l'orchestre se fait entendre et le maestro se dirige vers son podium. Il salue la foule et prend le micro pour m'annoncer en mentionnant qu'il m'est arrivé un petit incident, sans préciser de quoi il s'agit : « Mesdames et messieurs, veuillez accueillir Marc Hervieux. » Je fais mon entrée du côté jardin (c'est à gauche de votre position de spectateur) à la vitesse d'un escargot en vacances. Des murmures montent de l'assistance. Puis, les spectateurs applaudissent pour m'encourager, tandis que le chef multiplie les blagues. « C'est long, Marc. Veux-tu que j'aille te chercher ? À ce rythme-là, crois-tu que tu réussiras à te rendre pour le début de la deuxième partie ? » Très drôle ! Ne me demandez pas comment, mais j'y suis parvenu. Le concert au complet ! L'adrénaline, je suppose. Le spectacle s'est conclu sur de généreux applaudissements du public.

Et dire que nous aurions pu rater ce voyage familial au Mexique à cause de mon tour de reins !

Oufff, j'ai relevé le défi et j'avoue que je ne suis pas peu fier. Caroline est déjà en coulisses pour me ramener à la maison. Après avoir rencontré les gens, serré des mains et laissé prendre quelques photos, nous nous mettons en route. Caroline est convaincue que je ne pourrai pas partir avec la famille pour notre voyage du temps des Fêtes. « Ne t'inquiète pas, que je lui dis pour tenter de la rassurer. Je ne serai peut-être pas en grande forme, mais rien ne m'empêchera de partir comme prévu. » J'ai du mal à y croire moi-même, mais je ne veux tellement pas être la cause d'une annulation d'une tradition familiale tant attendue et méritée. Douze heures plus tard, nous sommes sur la plage : Caro et nos filles sur leurs serviettes directement sur le sable et moi, sur une chaise droite, assis bien raide pour la prochaine semaine !

* * *

PASSONS À TABLE

Une bonne bouffe mexicaine

Nous étions à un cheveu d'annuler nos vacances et de manger de la tourtière et du ragoût de pattes plutôt que la bonne bouffe mexicaine. Depuis cette aventure, je me surprends à sourire quand je pense au Mexique ! Voici des mets pour faire la fiesta avec vos convives.

SOUPE
MEXICAINE
TACO-POULET

Je pourrais manger de la soupe matin, midi et soir.
En voici une, goûtée lors de mon premier voyage,
à 16 ans, à Puerto Vallarta. J'ai tenté de me rappeler
chaque ingrédient, et, bien sûr, je l'ai un peu adaptée.
Le résultat est pas mal fidèle à mon souvenir gustatif.

8 à 10 portions

- 1 c. à soupe d'huile d'olive
- 1 oignon moyen émincé
- 4 gousses d'ail hachées
- 1 poivron rouge en dés
- 3 c. à soupe d'assaisonnement pour tacos
- 750 ml (6 tasses) de bouillon de poulet
- 2 boîtes de 398 ml (14 oz) de tomates rôties sur le feu*
- 2 grosses poitrines de poulet
- 1 paquet de 250 g de fromage à la crème, en cubes
- 500 ml (2 tasses) de maïs surgelé
- 1 boîte de 540 ml (19 oz) de haricots noirs rincés
- Sel et poivre

Garnitures, au choix
- Croustilles de maïs, crème sure, coriandre hachée,
  avocat en dés, cheddar râpé, jus de lime

* Vous en trouverez de la marque Aylmer, entre autres.

Dans une grande casserole, chauffez l'huile à feu moyen-élevé et faites
suer l'oignon 2 minutes. Ajoutez l'ail et le poivron rouge et faites cuire
4 minutes. Saupoudrez l'assaisonnement pour tacos et mélangez en
versant le bouillon. Ajoutez les tomates et les poitrines de poulet, et
portez à ébullition. Couvrez et laissez mijoter à feu moyen 25 minutes.
Retirez le poulet de la casserole et coupez-le en cubes. Incorporez le
fromage à la crème au bouillon, puis remettez le poulet avant d'ajouter
le maïs et les haricots. Réchauffez 5 minutes. Assaisonnez de sel et de
poivre. Placez les garnitures au centre de la table afin que chaque convive
se serve. Pour ma part, ce sera «toute garnie»!

CASSEROLE D'ENCHILADAS AU POULET

8 à 10 portions

- 2 c. à soupe d'huile d'olive
- 1 oignon haché
- 2 gousses d'ail hachées
- 1 boîte de 341 ml (12 oz) de maïs en grains, égoutté
- 1 boîte de 540 ml (19 oz) de haricots noirs rincés
- 1 poivron rouge haché
- ½ boîte de (125 ml) de piments chili verts en dés
- 750 ml (3 tasses) de poulet cuit, effiloché ou en dés
- 2 bocaux de 215 ml de sauce à taco douce
- 8 grandes tortillas de maïs
- 500 ml (2 tasses) de cheddar râpé
- 500 ml (2 tasses) de monterey jack râpé
- Sel et poivre

Garnitures, au choix
- Crème sure, coriandre hachée, avocat en dés, quartiers de lime

Préchauffez le four à 180 °C (350 °F). Dans une grande poêle, chauffez l'huile à feu moyen et faites suer l'oignon. Ajoutez l'ail et laissez cuire 1 minute de plus. Ajoutez le maïs, les haricots, le poivron rouge, les piments chili verts et le poulet. Assaisonnez et réchauffez le tout. Réservez 125 ml (½ tasse) de sauce à taco et incorporez le reste. Étalez la sauce réservée dans le fond d'un moule rectangulaire de 23 × 33 cm (9 × 13 po). Disposez 6 tortillas en les chevauchant pour couvrir le fond du moule. Versez le tiers du mélange sur les tortillas et superposez le tiers de chacun des fromages. Répétez l'opération 2 fois en terminant par une couche de fromage. Enfournez 30 minutes. Faites gratiner le fromage sous le gril de 2 à 3 minutes. Accompagnez ce plat de crème sure et des garnitures de votre choix.

Richesses musicales du Mexique

Le répertoire mexicain, dans le monde de l'opéra et de l'opérette, est vaste. Et les très bons chanteurs et chanteuses en art lyrique sont nombreux. J'ai pour vous trois suggestions dans chaque catégorie.

TROIS GRANDS TÉNORS MEXICAINS

Ramon Vargas

Né le 11 septembre 1960 à Mexico, il a commencé à chanter à l'âge de 9 ans dans le chœur des garçons de la basilique Notre-Dame-de-Guadalupe, dans sa ville natale. Il gagne le concours de ténors Enrico-Caruso, à Milan, en 1986. Sa carrière internationale est lancée en 1992, lorsque le Metropolitan Opera House de New York l'invite à jouer le rôle d'Edgardo, en remplacement de Luciano Pavarotti, dans l'opéra *Lucia di Lammermoor*. En 1993, il fait ses débuts sur la très prestigieuse scène de La Scala.

Javier Camarena

Ténor d'opéra mexicain, il est né le 26 mars 1976 à Xalapa, dans l'État de Veracruz, au centre du Mexique. Son répertoire de prédilection est le bel canto, avec sa voix agile et brillante qu'il porte vers les plus grandes prouesses dans l'aigu et même le suraigu. Il triomphe partout sur la planète. Le 25 avril 2014, il est le troisième chanteur, en 70 ans d'existence de la Metropolitan Opera House, à New York, à exécuter un rappel au milieu d'une représentation. Pour ajouter à son tableau d'honneur, le 12 mars 2016, il devient le deuxième chanteur qui se fait réclamer plusieurs rappels dans un opéra. Il m'impressionne vraiment, celui-là.

Rolando Villazón

Il est né le 22 février 1972 à Mexico. Sa formation artistique débute à l'âge de 11 ans et il aura plus tard comme professeur la très grande chanteuse d'opéra Joan Sutherland. En 1999, il remporte le deuxième prix du concours Operalia de Plácido Domingo et rafle le prix du public et celui de la *zarzuela* (opérette espagnole). En février 2003, il reçoit en France un trophée Victoires de la musique classique dans la catégorie Révélation internationale de l'année. Sa carrière fulgurante est malheureusement freinée, car il a trop chanté et sa voix phénoménale le laisse tomber. Il aurait certainement été le successeur des plus grands ténors.

TROIS GRANDES CHANSONS MEXICAINES

Solamente una Vez

Cette magnifique chanson est l'œuvre de l'un des plus célèbres artistes-compositeurs mexicains : Agustín Lara. Natif de l'État de Veracruz, en 1897, il est décédé à Mexico en 1970. Sa célèbre chanson, traduite en anglais sous le titre *You Belong to My heart*, a été enregistrée de nombreuses fois. Vous pensez certainement qu'il s'agit d'une magnifique chanson d'amour. Détrompez-vous, l'inspiration du compositeur est venue de la décision de son ami de s'engager dans la vie religieuse. Plus de 500 de ses mélodies ont été interprétées par des artistes éminents tels Plácido Domingo, Frank Sinatra, Luis Mariano ou encore Julio Iglesias.

Bésame mucho

Magnifique chanson composée dans les années 1930 par la pianiste mexicaine Consuelo Velázquez d'après une aria du compositeur espagnol Enrique Granados. Cette chanson en espagnol est la plus reprise du xxᵉ siècle. Elle a été traduite et interprétée par un nombre incalculable d'artistes de toutes nationalités. C'est le cas, entre autres, d'Édith Piaf, Cesária Évoria, Plácido Domingo, Dalida et même des Beatles !

Granada

La chanson, écrite en 1932 par le compositeur mexicain Agustín Lara, porte bien son titre, puisqu'elle est inspirée de la ville de Grenade, en Espagne. Elle est devenue un incontournable du répertoire des ténors d'opéra en concert. Vous aimerez les versions de ces grands ténors : Plácido Domingo, Mario Lanza, José Carreras, Nicolai Gedda, Alfredo Kraus, Luciano Pavarotti. Il en existe également des versions dans plusieurs langues.

Mario Lanza est le premier ténor que j'ai connu... sur disque, car il jouait sur la stéréo familiale.

SEUL AU JOUR DE L'AN

Chapitre 8

Je ne voudrais pas vous donner l'impression de me plaindre en vous racontant l'histoire qui suit, mais plutôt vous parler d'un aspect de la réalité du chanteur qui se promène de pays en pays, de ville en ville, tout au long de l'année. Ce train de vie peut paraître glamour, et c'est vrai à l'occasion, mais... À titre d'exemple, les dates importantes de l'année : les anniversaires des membres de la famille, les longs week-ends fériés, Pâques, la Saint-Valentin, le jour de l'An, pendant plusieurs années, ces journées spéciales, presque sans exception, je les ai célébrées dans une chambre d'hôtel, avec des communications à distance, au téléphone ou, plus tard, grâce à FaceTime. Combien de fois j'ai couru les cafés Internet pour avoir accès à un ordinateur afin d'envoyer un message ou de faire un appel sans que la facture soit exorbitante ! Mon Dieu que la technologie a évolué à une vitesse folle ! On est bien loin de ce temps-là.

Connaissez-vous la tradition des concerts du Nouvel An ? Elle serait née le 31 décembre 1939 avec l'Orchestre philharmonique de Vienne. Les 30 et 31 décembre ainsi que le 1er janvier, un concert est donné dans la Salle dorée (en allemand Goldener Saal) du Musikverein. Il est télédiffusé à travers le monde, dans pas moins de 90 pays. Il faut s'en féliciter, car, pour un événement de musique classique, c'est exceptionnel. Le concert du Nouvel An à Vienne atteint un auditoire de 50 millions de personnes, faisant partie des événements internationaux les plus regardés, mis à part les compétitions sportives majeures et le Concours Eurovision de la chanson. Ce populaire concert de musique viennoise, avec ses valses joyeuses et ses polkas rythmées, a fait des petits et est maintenant organisé dans des centaines de villes partout sur le globe.

J'ai eu la chance d'être invité à participer à des concerts du Nouvel An pendant plusieurs années à Montréal, Québec, Ottawa, Toronto, Vancouver et Chicago. La formule est assez similaire : un orchestre symphonique, des danseurs et des danseuses, un ténor et une soprano, et l'équipe est complète. Pour chacun de ces engagements, je suis arrivé la veille du premier des trois concerts, bien préparé dans ce répertoire d'opérettes viennoises, d'airs très festifs et parfois même de musique d'opéra pour les spectateurs qui réclament toujours un « Nessun dorma » de *Turandot* ou « La donna è mobile » de *Rigoletto*. Une répétition se tient avec le chef, les solistes et un pianiste le jour même de notre arrivée, une autre plus tard dans la journée, cette fois avec l'orchestre, et

Le duc de Mantoue, un rôle que j'ai adoré jouer, dans *Rigoletto* de Verdi, à l'Opéra de Québec, en 2003. Photo : Louise Leblanc la générale a lieu le lendemain matin, avant le premier concert en après-midi, ce qui fait 24 heures bien remplies et très exigeantes vocalement. Il ne faut pas se brûler pour ensuite avoir toutes les misères du monde à tenir la note durant le spectacle. Un processus qui devient de plus en plus facile avec les années et l'expérience. Les problèmes de voix viennent justement de l'inexpérience. On est jeune, on veut prouver au chef, aux collègues et aux musiciens qu'on est capable et l'on se donne trop en répétition, comme si c'était la dernière fois de sa vie qu'on allait chanter. C'est infaillible, le concert arrive, et on livre une moins bonne performance devant le public. Ça ne m'est pas arrivé deux fois ! J'ai bien vite compris mon erreur.

Évidemment qu'avec un horaire pareil on n'a pas trop le temps de penser à notre éloignement, mais, de retour à nos chambres d'hôtel, après le concert, on prend soudainement conscience que tout le monde fait la fête à la maison alors qu'on est seuls dans une ville où tout est fermé. Et fêter entre vous ? me direz-vous. Ouin, c'est certain qu'on y a pensé. Toutefois, avec deux autres concerts dans les 24 heures, vaut mieux se garder loin des excès. Même si j'étais assez proche de la maison pour un aller-retour, je ne pourrais pas faire la fête et me coucher au petit matin après avoir crié à tue-tête avec tout le monde « 5-4-3-2-1... Bonne année !!!!! » Un lendemain de veille, la fatigue affecte directement les cordes vocales et pour chanter le « Vinceeeeròòòò » final du « Nessun dorma », ce n'est pas l'idéal !

Un jour, après toutes ces années à « faire tourner les ballons sur mon nez », comme dit la chanson, j'ai renoncé à ces concerts pour être présent à l'anniversaire de ma merveilleuse Caroline, le 30 décembre.

Je me souviens particulièrement de la dernière fois, à Vancouver. Il est 20 heures le 31 décembre, le spectacle en après-midi au magnifique théâtre Orpheum a été un succès, et je marche seul dans la ville déserte. J'étais tenaillé par la faim, mais je n'avais pas envie de me retrouver à la table d'un restaurant à m'entendre dire : « Cheers... bonne année, mon Marc ! » J'avançais vers nulle part et mon ventre, qui réclamait une petite douceur, me transmettait de drôles de pensées : j'avais le goût de petits pains farcis à la viande du temps des Fêtes et de sucre à la crème. J'aurais marché jusqu'à la maison, à Morin-Heights, pour en manger. C'est une manière de manger ses émotions et, à ce moment-là, c'est ce qu'il me fallait pour engourdir ma petite tristesse. Résigné à ne pouvoir être exaucé, j'entre dans un des rares endroits ouverts, un restaurant asiatique. « Asseyez-vous où vous voulez », qu'on me dit. J'ai l'embarras du choix pour la place, le resto est vide. Je m'installe avec tous les journaux que je trouve à une grande table. Je suis prêt à lire toutes les revues de l'actualité de l'année. Je commande un grand bol de soupe asiatique bien chaude. J'aime tellement ces soupes-repas que j'ai mis ma meilleure recette dans le premier *Bon vivant !* Pendant que j'attends ma soupe, avant de commencer ma lecture, mes pensées vont vers mon père décédé à l'âge de 64 ans la veille du réveillon de 1988, et, bien sûr, vers mon nid familial, Caro et les filles. Le décalage horaire de trois heures fait en sorte qu'elles changeront d'année avant moi ! Mon esprit vogue tandis que le serveur dépose un immense bol rempli à ras bord d'un bouillon chaud et de toutes sortes de bonnes choses. En quelques secondes, la vue de cette splendide soupe me console. Je commence à déguster cette merveille.

Après trois cuillerées, je réalise qu'il est près de 21 heures, donc de minuit au Québec. Je vais appeler à la maison et, avec un peu de chance, je participerai au décompte et à l'explosion de joie au tournant de minuit. J'attrape mon nouveau cellulaire, un petit modèle flip à la dernière mode, je compose le numéro. Caroline répond et j'entends, comme je l'avais prévu, l'ambiance surexcitée des invités. (Les fêtes, chez nous, ça se passe avec beaucoup de monde, la plupart du temps de 50 à 75 invités, parfois même jusqu'à 100.)

« Alloooo, comment ça va à la maison ? Que je suis heureux de te parler.

— Ça va bien, Marco. »

À ce moment — probablement à cause de l'émotion que suscite le fait d'être en contact avec mes amours —, le téléphone me glisse des mains et fait trois ou quatre pirouettes avant de plonger dans mon bol de soupe encore bien plein. Dans un geste d'une rapidité à faire pâlir de jalousie un coureur de 100 mètres aux Olympiques, je mets ma main dans le bol. Aussi vite, je constate que c'est très chaud. Aïe, aïe, aïe, je me suis brûlé les doigts. Je décide d'utiliser les baguettes pour récupérer le téléphone. Ce n'est pas facile et les secondes jouent contre moi. Je me dis que plus longtemps le téléphone est immergé, plus le risque est grand qu'il soit inutilisable. Je finis par le récupérer et je m'empresse de l'essuyer du mieux que je peux. J'appuie aussitôt sur le bouton pour l'activer... Rien. Il est mort noyé, ébouillanté dans une soupe au poulet asiatique. Quelle fin atroce, tout de même, pour mon appareil. Bon, je vais me trouver une cabine téléphonique et appeler chez moi. La soupe, c'était une bien mauvaise idée. Ce ne serait pas arrivé si j'avais trouvé des petits pains farcis à la viande et du sucre à la crème !

* * *

PASSONS À TABLE

C'est ce que je voulais manger

Ah, la vie somptueuse et pleine de charme des chanteurs d'opéra, comme tout le monde pense... Ce soir de réveillon, j'étais bien loin d'avoir envie de déguster les mets les plus fins. Bien au contraire, je me serais mis à table devant un plat réconfortant, qui m'aurait rappelé les sourires de Memère Rosa, ses chansons, sa douceur, ses bras accueillants et ses bonnes recettes simples et goûteuses.

PETITS PAINS FARCIS GOMBOS DE MON ENFANCE

Une recette archi-simple qui me rappelle les fêtes de mon enfance. Chaque fois qu'un buffet se préparait, il était impératif d'y inclure ces petits pains. Ceux et celles qui ont vécu cette époque seront fous de joie de retrouver cette recette !

12 petits pains

- 1 c. à soupe d'huile végétale
- 1 oignon haché finement
- 500 g (1 lb) de bœuf haché mi-maigre
- 1 boîte de soupe poulet et gombos Campbell's
- 1 boîte remplie d'eau
- 2 c. à soupe de moutarde jaune
- 2 c. à soupe de ketchup
- 12 petits pains à salade
- Sel et poivre

L'odeur dans la maison vous rappellera votre première communion !

Dans une poêle, chauffez l'huile à feu moyen et faites suer l'oignon. Ajoutez le reste des ingrédients, à l'exception des petits pains. Baissez le feu et laissez mijoter jusqu'à évaporation presque complète du liquide. Brassez régulièrement. Préchauffez le four à 160 °C (325 °F). Remplissez les petits pains et enveloppez-les, en paquet de 3, dans du papier d'aluminium. Enfournez 25 minutes, et ils sont prêts à savourer. Si vous les préparez à l'avance, il faudra les réchauffer à la dernière minute.

SUCRE À LA CRÈME DE MEMÈRE ROSA

Il est facile à faire, il n'y a que quatre ingrédients. Il existe plein de recettes de sucre à la crème plus complexes, mais celui-ci, c'est celui de ma grand-mère à moi et il est imbattable dans mon cœur...

- 625 ml (2 ½ tasses) de cassonade
- 2 c. à soupe de sucre
- 2 c. à soupe de sirop de maïs
- 500 ml (2 tasses) de crème 35 %

Quand je fais le sucre à la crème de ma grand-mère, j'aimerais qu'elle ressuscite pour venir m'en voler un morceau.

Dans un chaudron profond, mélangez tous les ingrédients. Cuisez à feu élevé en remuant souvent, 20 minutes. Memère Rosa faisait ça à l'œil, au feeling... mais pour vous et moi, la réussite est plus sûre avec un thermomètre à bonbons. Lorsque la température aura atteint 116 °C (241 °F), retirez la casserole du feu et fouettez la préparation chaude au batteur électrique 5 minutes ou jusqu'à ce qu'elle épaississe. Transvidez dans un moule carré de 20 cm (8 po) bien beurré. Réfrigérez quelques heures. Coupez en carrés et faites-vous plaisir !

La musique des concerts viennois

Tritsch-Tratsch-Polka, op. 214

Une polka rapide pour orchestre symphonique composée en 1858 par Johann Strauss II (fils). Il s'agit d'une de ses œuvres les plus connues, avec *Le Beau Danube bleu*. En langage populaire autrichien, cela voudrait dire « rumeurs et potins ». Elle est jouée au concert du Nouvel An à Vienne presque chaque année depuis les tout premiers débuts.

Ouverture de *Die Fledermaus*

Célèbre opérette viennoise, également de Johann Strauss II, composée en 1874 et créée au Theater an der Wien de Vienne. Strauss ne prendra que 42 jours pour composer l'œuvre complète. Trois ans plus tard, elle est jouée en français sous le titre de *La Tzigane* avant d'être renommée *La Chauve-souris*.

Frühlingsstimmen, op. 410

Certainement une des plus célèbres valses de Johann Strauss II. Oui, toujours lui. Il a composé plus de 500 valses et polkas. Celle-ci, vous la reconnaîtrez à la première mesure. Initialement baptisée *Valse Bianchi*, du nom de la cantatrice Bianca Bianchi qui l'interprète pour la première fois le 1er mars 1883 au Theater an der Wien de Vienne, sous la direction du frère du compositeur, le chef Eduard Strauss. La valse connaît par la suite un succès mondial sous le titre de *Voix du printemps (Frühlingsstimmen)*.

Die lustige Witwe / *La Veuve joyeuse*

Une opérette autrichienne en trois actes composée par Franz Lehár. C'est le triomphe dès la première, qui a lieu le 30 décembre 1905 au Theater an der Wien. La version française, *La Veuve joyeuse*, est présentée seulement quatre ans plus tard, le 28 avril 1909, à Paris, à l'Apollo.

Entre sa création et 1948, année de la mort du compositeur, elle sera jouée plus de 300 000 fois à travers le monde ! Imaginez le nombre de fois jusqu'à nos jours ? On retient également de l'œuvre de Franz Lehár une de ses premières opérettes, *Le Pays du sourire (Das Land des Lächelns)*. Je vous suggère aussi d'aller écouter l'air du ténor dans *Dein ist mein ganzes Herz* connu en français sous le titre de *Je t'ai donné mon cœur*, ainsi qu'une chanson romantique interprétée par un duo : *Wer hat die Liebe uns in Herz gesenkt*. Ce sont deux pièces également jouées et chantées au concert du Nouvel An.

Radetzky-Marsch / La Marche de Radetzky,
op. 228

Célèbre marche militaire viennoise de
Johann Strauss, le père cette fois, composée
en 1848 en l'honneur du maréchal autrichien
Joseph Radetzky von Radetz. Très appréciée
des Viennois, c'est impérativement l'œuvre
qui clôt le concert du Nouvel An, tout de suite
après *Le Beau Danube bleu*. La tradition veut
que tous les spectateurs tapent des mains en
cadence pendant le refrain de la pièce ; le chef
d'orchestre se tourne alors vers la salle pour
indiquer au public son entrée.

Le théâtre Musikverein, à
Vienne, où se tiennent les
concerts du Nouvel An.

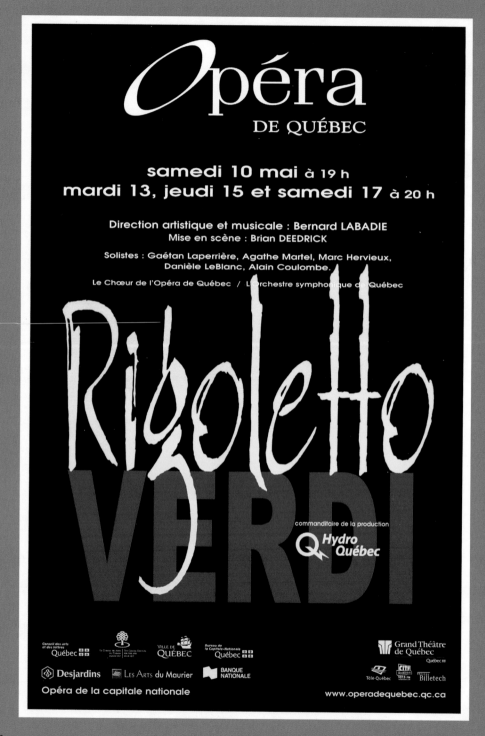

J'ai gardé en souvenir
la plupart des affiches
de mes opéras. Celle-ci
tout spécialement.

EN AUDITION

Chapitre 9

Au début d'une carrière de chanteur d'opéra, avant d'obtenir des engagements, il faut d'abord passer des auditions dans le plus grand nombre possible de maisons. Établir un contact avec la personne la mieux placée pour vous entendre, ce n'est pas simple. Souvent, la première audition a lieu devant l'assistant de l'assistant… de l'assistant du directeur artistique ! Le processus n'est pas très agréable, bien que ce soit un mal nécessaire.

Une de mes premières
photos de casting, en 1990.
Photo : François Larivière

Plus la maison est grande et prestigieuse, plus le nombre d'auditions se multiplie avant d'atteindre la personne qui prend les décisions artistiques. À titre d'exemple, la première fois que j'ai auditionné pour La Scala de Milan, ce n'était pas au théâtre, mais plutôt à La Casa Verdi, aussi appelée La casa di riposo per musicisti. Il s'agit de la maison de retraite des musiciens et des musiciennes de La Scala créée par le compositeur Giuseppe Verdi. Dans un geste purement philanthropique, le grand compositeur avait vu à ce que ce lieu de repos ouvre ses portes seulement après sa mort pour éviter les effusions de reconnaissance. Verdi est décédé en janvier 1901 et les premiers pensionnaires en franchiront la porte en octobre 1902.

Je me souviens bien de mes premiers pas dans ce magnifique bâtiment situé sur la place Michelangelo Buonarroti, à Milan. Dès mon entrée, je peux entendre de la musique qui provient de différentes salles. Que ce soit un ensemble à cordes, un pianiste, une chanteuse, la musique semble flotter dans les airs, et cela m'impressionne. Je me dirige vers la salle que l'on m'avait indiquée et j'entre. Les résidents de la maison semblent un peu contrariés de devoir couper court à leur répétition pour mon audition. La situation n'a rien pour me mettre à l'aise. Enfin, les trois personnes chargées des auditions se présentent, me saluent courtoisement et s'installent en retrait du piano pour m'écouter chanter. Après avoir consulté mon curriculum vitæ et mon répertoire, que l'agence leur a fournis, ils me demandent comme, c'est la coutume, par quelle pièce je veux commencer. Habituellement, s'ils ont aimé le premier air, ils passent à un deuxième et peut-être même à un troisième. Je débute avec le « Lamento di Federico » de l'opéra *L'Arlesiana*, de Francesco Cilea. Cela se passe bien, assez bien, en tout cas, pour qu'on me demande la pièce suivante, *La fleur que tu m'avais jetée* de l'opéra *Carmen*, de Georges Bizet. Le thermomètre de ma nervosité baisse et, par conséquent, la confiance en moi augmente. C'est toujours rassurant de se faire demander de prolonger la séance plutôt que de se faire remercier de façon cavalière, du genre « *Don't call us, we'll call you !* » Surprise, on me demande, en plus, *Una furtiva lagrima*, une romance de *L'elisir d'amore*, de Gaetano Donizetti. Quelle chance ! je viens de terminer une tournée d'une soixantaine de représentations de cet opéra pour l'Atelier lyrique de l'Opéra de Montréal et je maîtrise vraiment bien cet air. On me remercie avec beaucoup de courtoisie d'avoir pris le temps d'auditionner pour eux. Je leur exprime, à mon tour, ma reconnaissance pour leur écoute.

C'était la dernière audition inscrite à mon horaire après un séjour de deux semaines en Italie. Le lendemain, je prends mon vol de retour. Je me souviens très bien, c'était un mardi. Je vous explique pourquoi j'ai gardé en mémoire le jour précis. Le lendemain de mon retour, soit le mercredi, je reçois un message de l'agence parisienne qui s'était occupée de la tournée d'auditions m'annonçant que La Scala voudrait me revoir le vendredi et que le maestro Riccardo Muti lui-même serait probablement là. Oh ! mon Dieu, je suis vraiment heureux ! Mais quel stress de devoir repartir en Italie ! En plus, petit souci pratico-pratique : un billet d'avion à la dernière minute me coûtera une fortune et l'on n'a vraiment pas cet argent en tout début de carrière. La chance me sourit, car, grâce à une mécène extraordinaire, me voilà dans l'avion pour Milan le soir même. Après une courte nuit de sommeil inconfortable, j'arrive donc à destination le jeudi matin. Je prends le train pour le centre-ville, où je me mets à la recherche d'une chambre d'hôtel, puisque je n'ai pas eu le temps de régler ça avant mon départ en trombe. Tout ce que je veux, c'est trouver une toute petite chambre pour me reposer avant mon rendez-vous le lendemain à 11 heures sur la scène de La Scala. Je vais d'un hôtel à l'autre pour me faire dire chaque fois que c'est complet, qu'il y a beaucoup de congrès en ville à cette période et que j'aurai beaucoup de difficulté à en trouver une. J'en suis certainement à mon dixième hôtel lorsque je décide de jouer le tout pour le tout. Il faut que cela réussisse. En plus, cet hôtel est situé à distance de marche de l'opéra. Après le refus poli de l'hôtelier, j'ai l'audace de lui dire que j'aurais aimé rester à son hôtel dont l'emplacement est idéal pour moi qui commence à travailler à La Scala le lendemain. « C'est vraiment dommage, j'aurais cru qu'on pourrait m'accommoder », et blablabla... Je n'ai pas terminé ma phrase que l'homme se ravise et me demande si je suis chanteur. « Oui, que je lui réponds, je commence les répétitions demain. » Bon, je fais un sérieux accroc à la vérité, mais j'ai besoin d'un lit. « Il fallait le dire plus tôt, qu'il reprend, laissez-moi voir. » En moins de temps qu'il ne lui en avait fallu pour me dire non, une chambre s'était libérée !

Après une bonne nuit de sommeil, je me prépare pour l'audition devant ce réputé chef d'orchestre. C'est tout de même intimidant lorsqu'on est jeune et pas encore établi dans le métier. Néanmoins, l'audition se passe plutôt bien et quelques jours plus tard, on me laisse miroiter un rôle dans la deuxième équipe de la production de *L'elisir d'amore*.

Juste avant une représentation de *La Traviata* de Verdi, en Israël, en 2005, avec le grand chef d'orchestre Zubin Mehta.

Finalement, j'ai décidé de ne pas donner suite à cette possibilité, car les dates coïncidaient avec l'accouchement de Caro, qui allait mettre au monde notre première fille. Je n'ai aucun regret d'avoir laissé passer cette occasion, mais j'en aurais certainement eu si j'avais manqué la naissance de Loïane.

Ce n'est pas la seule fois où il m'a fallu repartir aussitôt arrivé à la maison. J'ai raconté mon histoire abracadabrante de l'audition à Munich avec le chef d'orchestre Zubin Mehta dans mon premier livre. J'ai connu une autre situation similaire, avec, cette fois-là, des circonstances plus dramatiques (qui n'ont rien à voir avec ma performance vocale). J'avais auditionné pour le Metropolitan Opera, à New York. J'avais chanté trois airs et j'avais même discuté longuement avec le coordonnateur artistique qui était très aimable et qui s'était montré curieux de mon parcours.

J'étais dans l'avion pour revenir chez moi juste à temps pour les Fêtes de fin d'année, souriant, heureux, et espérant avoir des nouvelles de cette audition. En arrivant, avant même de descendre de l'avion, j'allume mon téléphone cellulaire et je vois que ma boîte vocale est remplie de messages. J'écoute un premier message, qui me dit que les gens du Metropolitan Opera souhaitent me réentendre assez rapidement. Je suis fou de joie ! J'écoute le message suivant et c'est Caroline qui me dit de l'appeler aussitôt mon avion posé. Les autres messages sont tous de Caroline : « Marco, vite, l'eau monte » ; « Marco, dépêche-toi, l'eau monte à vue d'œil » ; « Marco, vite, vite, le sous-sol est complètement inondé ! » Il y avait eu une bonne bordée de neige quelque temps avant et il pleuvait depuis au moins trois jours. Ce devait être la raison de l'inondation. Je rappelle Caroline et lui assure que je fais au mieux pour arriver rapidement. Sur la route, je réussis à joindre l'ancien propriétaire qui n'habite pas très loin et lui demande s'il peut aller voir le problème à la maison en attendant que j'y sois. Il accepte bien gentiment d'installer sans tarder des pompes pour vider le sous-sol. Par la suite, nous tentons ensemble de trouver la cause de l'infiltration. Il ne faut que quelques minutes pour découvrir qu'une marmotte a fait son nid dans le tuyau d'évacuation de la pompe submersible du sous-sol et qu'elle a veillé à son confort en tapant fermement de la boue dans le tuyau, de sorte que l'eau ne peut s'écouler et remonte aussitôt à l'intérieur de la maison. Je suis encore sous l'effet de l'adrénaline des derniers jours et je veux régler ça immédiatement.

Je n'ai même plus en tête l'audition et encore moins le message reçu qui m'annonçait que l'on voulait me revoir à New York. L'agent, surpris que je ne l'aie pas rappelé, me dit qu'il faudrait que j'y retourne cette semaine. Euh,

Chantant le personnage de Pinkerton dans *Madama Butterfly* de Puccini, à l'Opéra d'Edmonton, en 2004. Photo : Ellis Brothers Photography

je veux bien y aller, mais est-ce possible de me donner deux ou trois jours ? Il y a des petits travaux à effectuer, rien de grave, c'est juste que tout flotte dans mon sous-sol, que le plancher de bois se soulève, mais, à part ça, tout va super bien ! Trois jours plus tard, de retour dans le temple de l'opéra à New York, j'auditionne de nouveau et je reçois une offre pour faire partie de la deuxième équipe de l'opéra *Otello*, de Verdi. Je m'en réjouis d'avance. Je n'aurai pas l'occasion de chanter sur scène, car le ténor qui joue le rôle dans la première équipe ne cédera jamais sa place. C'est la vie !

On m'a offert à trois autres reprises d'être de la deuxième équipe. Après avoir accepté pour l'opéra *Manon*, j'ai refusé pour *Les Contes d'Hoffmann*. Je suis un hyperactif et je me sentais comme un cheval de course derrière la barrière qui n'ouvre pas. J'ai réalisé des tonnes d'autres prestigieux projets et j'assume mes décisions sans jamais le regretter.

Il y a des auditions qui fonctionnent, d'autres pas. Il faut en passer beaucoup avant d'établir sa réputation, car on ne sait jamais d'où vient la chance. Un jour, à Princeton, au New Jersey, où je me trouvais pour chanter dans une production de *La Traviata*, j'ai auditionné pour quelques directeurs artistiques de passage à ce festival d'opéra. Je n'ai chanté qu'un seul air, très court, tiré de *Madama Butterfly*. Les trois directeurs présents discutaient entre eux à voix haute pendant que je chantais ! Il y en a même un qui a ramassé ses affaires et qui est parti avant même que je termine. J'étais furieux. Il y a des expériences comme ça... Et pourtant, à ma grande surprise, au moins trois fois au cours des années suivantes, on m'a dit que c'était précisément ce M. Untel, pour qui j'avais auditionné à Princeton, qui m'avait recommandé. « Quoi ? ? ? » Un jour, j'ai revu ce monsieur qui avait quitté avant la fin de mon audition, Irving Guttman, un metteur en scène très influent. Je ne me suis pas gêné pour lui rappeler ce moment assez désagréable. Il m'a simplement répondu : « Sachez, jeune homme, qu'il ne m'a fallu entendre que trois notes pour savoir que vous aviez un certain talent ! »

* * *

PASSONS À TABLE

Le petit goûter d'après-audition...

S'asseoir à une terrasse après la nervosité et l'émotion qu'une audition génère est une récompense bien méritée. J'avais établi un rituel : goûter à une spécialité sucrée locale sur une terrasse pas trop loin de la maison d'opéra d'où je sortais. J'en ai mangé, des gâteaux et des tartes !

TORTA PARADISO

Je me revois assis à une terrasse dans cette magnifique allée commerçante de Milan qu'est la Galleria Vittorio Emanuele II, à déguster un espresso court et une pointe de Torta paradiso. Cette merveille simple et réconfortante est typique de la Lombardie, plus exactement de Pavia, une petite ville au sud de Milan. Son nom viendrait d'une aristocrate qui s'est exclamée, à la première bouchée : « Mais, c'est le paradis ! »

8 portions

- 125 ml (½ tasse) de beurre doux ou demi-sel à température ambiante
- 310 ml (1 ¼ tasse) de sucre à glacer
- Zeste de 2 citrons
- 2 œufs
- 4 jaunes d'œufs
- 180 ml (¾ tasse) de farine
- 125 ml (½ tasse) de fécule de maïs
- Sucre à glacer pour la décoration

Baissez la grille du four d'un niveau en dessous de la position centrale et allumez-le à 180 °C (350 °F). Beurrez et farinez un moule de 20 cm (8 po) de diamètre. Mélangez au robot culinaire le beurre, le sucre à glacer et le zeste de citron jusqu'à l'obtention d'une crème légère et aérée. (C'est le secret pour atteindre le paradis !) Ajoutez les œufs et les jaunes d'œufs un à un. (C'est très important pour conserver la texture crémeuse.) Tamisez la farine avec la fécule. Retirez le bol du socle de l'appareil et, à l'aide d'une cuillère en bois, incorporez les ingrédients secs en brassant délicatement. Transvidez le mélange dans le moule, lissez le dessus et tapez vigoureusement le moule sur le comptoir pour évacuer les bulles qui se seraient formées. Faites cuire au four 35 minutes ou jusqu'à ce qu'un cure-dent introduit dans le gâteau en ressorte propre. Laissez tiédir quelques minutes avant de démouler. Saupoudrez de sucre à glacer et servez impérativement avec un expresso ou un cappuccino.

NEW YORK-STYLE CHEESECAKE À MARCO

8 portions

- 250 ml (1 tasse) de biscuits Petit Beurre émiettés au robot
- 80 ml (⅓ tasse) de chapelure de biscuits Graham
- 125 ml (½ tasse) de beurre doux fondu
- 3 paquets de 250 g de fromage à la crème
- 1 contenant de 473 ml de crème à fouetter 35 %
- 450 ml (1 ¾ tasse) de sucre à glacer
- 125 ml (½ tasse) de farine
- 5 œufs
- Jus et zeste de 1 citron

Garniture
- Coulis de petits fruits rouges ou autre fruit
- Tranches fines de citron ou de lime

Préchauffez le four à 180 °C (350 °F). Combinez les biscuits émiettés et la chapelure et, à l'aide d'une fourchette, mélangez avec le beurre. Pressez le mélange au fond d'un moule à charnière de 20 cm (8 po) de diamètre. Réservez au réfrigérateur pendant que vous préparez l'appareil. Dans le bol du robot, mélangez le fromage à la crème, la crème, le sucre à glacer, la farine et les œufs jusqu'à l'obtention d'une texture presque lisse. (Évitez de trop mélanger ; il peut rester des petites boules de fromage.) Ajoutez le jus et le zeste de citron et actionnez de nouveau l'appareil par touches successives juste pour les incorporer, sans plus. Sortez le moule du réfrigérateur et transvidez l'appareil au fromage. Enfournez 20 minutes, puis baissez la température à 110 °C (225 °F) et poursuivez la cuisson. Après 1 heure, éteignez le four, entrouvrez la porte et laissez tiédir 30 minutes. Placez le gâteau au réfrigérateur pendant au moins 2 heures avant de le démouler. Au service, réchauffez la lame du couteau dans un verre d'eau chaude avant de couper les parts. Couvrez le gâteau d'un coulis de petits fruits rouges. Vous pouvez aussi le décorer de belles tranches fines de citron ou de lime.

De la musique qui fait voyager

Durant mes séjours fréquents en Italie et à New York, je parcourais plus de 25 kilomètres à pied tous les jours avec les œuvres suivantes dans les oreilles.

An American in Paris

Vous ne serez pas surpris d'apprendre qu'un séjour à Paris du compositeur George Gershwin est à l'origine de cette œuvre. En créant ce poème symphonique, il voulait illustrer musicalement la vie parisienne des années 1920. La première représentation a lieu à New York, au prestigieux Carnegie Hall, le 13 décembre 1928, devant une salle comble de 2800 spectateurs. En 1951, le réalisateur Vincente Minnelli intègre l'air à un film éponyme. L'acteur et danseur Gene Kelly, qui en est une des vedettes, a aussi participé à la création des célèbres chorégraphies qu'il interprète. Le film, dont on revoit régulièrement des images, a remporté six oscars.

Rhapsody in Blue

Une autre grande œuvre pour piano et orchestre de George Gershwin. Composée en 1924, la musique combine des éléments provenant du classique et du jazz. Il s'est mis à la tâche le 7 janvier et n'a achevé son œuvre qu'à peine huit jours avant la première, le 12 février, à New York. Pour l'occasion, Gershwin était lui-même au piano. Une rose a été nommée en l'honneur de cette œuvre musicale.

Otello

Cet opéra en quatre actes de Giuseppe Verdi d'après *Othello ou le Maure de Venise*, de William Shakespeare, a été créé au Teatro alla Scala de Milan le 5 février 1887. L'écriture du texte et de la musique avait pris huit ans, un laps de temps inhabituellement long pour l'époque. La raison en est bien simple : Verdi avait décidé de se retirer après l'immense succès de son opéra *Aïda* en 1871. Il fallut bien des efforts de son éditeur, Giulio Ricordi, pour le convaincre de sortir de sa retraite et de se remettre au travail. Le succès sera immédiat et retentissant dès la première.

Saviez-vous que...

Le maestro Giuseppe Verdi et sa femme, la chanteuse Giuseppina Strepponi, reposent dans l'oratoire de la maison de retraite qu'il a fondée à l'intention des musiciens et des musiciennes, La casa di riposo per musicisti.

Le jour de ses funérailles, à Milan, 250 000 personnes lui rendent un dernier hommage. Un chœur de 820 chanteurs dirigé par maestro Arturo Toscanini interprète « Va, pensiero » (ou *Chœur des esclaves*), de l'opéra *Nabucco*, et « Miserere », d'*Il trovatore*, deux opéras majeurs du grand maître.

Avec l'ami Gino Quilico, dans les coulisses de la salle Wilfrid-Pelletier à la Place des Arts, en 1999. Nous chantions dans *Otello* de Verdi, une production de l'Opéra de Montréal.

STARMANIA QUÉBEC-MONTRÉAL-PARIS-SÉOUL

Chapitre 10

Il y a de ces projets qui arrivent sur un plateau d'argent. Voilà environ 20 ans, je reçois une fabuleuse invitation de l'Orchestre symphonique de Québec pour un concert hommage à Luc Plamondon. Je suis vraiment touché de cette attention et dès que je reçois le programme musical, je me mets au travail. Je veux être prêt pour la répétition qui aura lieu la veille du concert, qui sera présenté au Grand Théâtre de Québec. Je partagerai la scène avec la soprano Monique Pagé et nous interpréterons les gros succès du parolier chouchou de la francophonie. Mon répertoire comprend les célèbres airs des comédies musicales *Notre-Dame de Paris, La légende de Jimmy* et, bien sûr, *Starmania*. Aussi des chansons que le prolifique auteur a écrites, notamment pour Robert Charlebois, Julien Clerc, Bruno Pelletier et bien d'autres.

Après les séances de répétition, il est maintenant l'heure de fouler la scène pour performer devant le public, et j'ai hâte. Trois minutes avant que j'entre sur scène, on me mentionne que Luc Plamondon sera à ma droite, dans une loge au premier balcon, côté jardin. Bien que je n'aie pas véritablement le trac, mon niveau de nervosité monte, car je n'ai pas encore eu la chance de le rencontrer et il m'importe que cela lui plaise. Trois secondes avant d'arriver en scène, comme à mon habitude, et encore de nos jours, je me recueille et je m'adresse à mon père décédé pour obtenir son soutien et lui demander de m'accompagner. (C'est toujours plus facile à deux.) Cela vous paraît peut-être un peu surréaliste, mais il ne m'a jamais laissé tomber.

L'orchestre entame l'ouverture de façon grandiose avec une version symphonique des chansons les plus populaires de Plamondon. Ça y est, c'est à moi, j'entre sur scène d'un pas décidé, tant je me réjouis de donner ce concert. Il est d'usage, en musique classique, de saluer d'abord le maestro, puis le premier violon, qui représente l'orchestre dans son ensemble. Ce que je m'empresse de faire. Je poursuis mon rituel avec une révérence vers la foule, et puis j'exécute un petit quart de tour vers ma droite, le regard dirigé vers la loge de Luc Plamondon — il est assez facile à repérer avec sa chevelure rebelle blonde

Zéro Janvier dans *Starmania* de Luc Plamondon et Michel Berger, à l'Opéra de Montréal, en 2009. Photo : Caroline Laberge

et ses lunettes reconnaissables —, et je me permets de lui adresser quelques mots. Quand j'y pense… j'aimerais mieux oublier ce que la nervosité m'a fait dire. Des paroles plutôt insignifiantes et une mauvaise blague qui ne vaut pas la peine d'être répétée.

Heureusement, les premières notes de *J't'aime comme un fou* se font entendre et hop, c'est parti ! Instantanément, la magie opère et une forme de communion s'installe entre la scène, les techniciens en coulisses et la salle. L'énergie, la folie, le plaisir sont palpables. Ça sent le bonheur à plein nez ! Que ça fait du bien de vivre cela une soirée entière !

Luc vient nous rejoindre en arrière-scène. Il est très content de la soirée et il a aimé les versions symphoniques de son œuvre que nous lui avons proposées. Il m'invite au restaurant. Je suis aux anges. Nous sommes à peine assis à la table du Ristorante Il Teatro, une espèce de quartier général d'après-spectacle, que j'ai l'impression que nous nous connaissons depuis toujours. Malgré le brin de nervosité causée par l'immense admiration que je porte à l'artiste, la conversation entre nous est fluide et naturelle. À un moment, il me dit :

« Marc, est-ce que ça te dirait de faire une version opéra de *Starmania* ? En fait, elle n'existe pas. Si tu dis oui, je vais m'y mettre ! »

Je ne suis pas certain d'avoir bien compris tellement tout ça me semble inespéré. Il faut dire que Luc ne parle pas très fort et son articulation, parfois…

« Heu, pardon, est-ce que j'ai bien compris, Luc ? (Ben oui, je l'appelle déjà Luc.) Si c'est bien ce que tu me demandes, je suis partant à 100 %. J'embarque dans ce fabuleux projet. On commence quand ? »

Intérieurement, je suis dans un état d'excitation extrême, mais je parviens à me calmer et nous passons une superbe fin de soirée. Luc adore les restos d'après-spectacle, c'est un gourmand notoire et il aime faire la fête : des points que nous avons en commun. Tout ça se termine très tard et, en rentrant à pied à l'hôtel, je me dis que si le projet voit le jour, c'est merveilleux, et que s'il ne se concrétise pas, c'est aussi merveilleux, parce que le simple fait que Luc ait pensé à moi me rend heureux. Dans notre métier, nous sommes habitués à voir de bonnes idées se matérialiser, mais aussi à en voir un bon nombre tomber à l'eau. C'est ainsi et c'est la vie.

Environ cinq ans après cette mémorable rencontre, je reçois un appel de Luc, qui me demande si je suis toujours intéressé par le projet. « Si tu embarques, nous allons de l'avant. » Je pense vraiment être au milieu du plus beau des rêves. Surtout, ne me réveillez pas, je veux connaître la fin !

La première version, en 2004, se fera en formule concert avec l'Orchestre symphonique de Montréal, à la salle Wilfrid-Pelletier de la Place des Arts. Le soir de la première, les interprètes sont fébriles devant un auditoire qui réunit, entre autres, les grandes chanteuses et les grands chanteurs qui ont marqué l'histoire de *Starmania*. Bien humblement, le concert est une réussite. Les spectateurs applaudissent à tout rompre l'orchestre, les arrangements exceptionnels de Simon Leclerc, qui est aussi le maestro, et nous, les chanteurs classiques.

C'est littéralement un triomphe ! Au cocktail qui suit, nous avons la chance de discuter avec les vedettes de *Starmania* qui nous racontent leurs anecdotes. Une soirée qui restera gravée dans ma mémoire pour toujours.

Photo : Caroline Laberge

Nous nous rendrons ensuite à Ottawa, au Centre national des arts, pour une série de représentations. Nous chanterons sur les plaines d'Abraham devant 50 000 personnes durant le Festival d'été de Québec. L'aventure ne se termine pas là. Quelque temps après, nous nous retrouvons sur la scène du Palais des congrès de Paris devant 3500 personnes en délire, soir après soir. C'est complètement fou, quand j'y pense. Je pourrais écrire un livre ou du moins un ou deux chapitres pour raconter nos fêtes. Durant la tournée, je ne me souviens pas être allé au lit avant cinq heures du matin. Pourtant, chaque soir, nous étions gonflés à bloc ! Nous avons aussi chanté avec l'Orchestre symphonique de Québec. Et nous voilà dans l'avion à destination de Séoul, en Corée du Sud, où le concert sera présenté dans un théâtre comble de 5000 places.

En duo avec Lyne Fortin
qui chante le rôle de
Stella Spotlight. Photo :
Caroline Laberge

À la fin de la représentation,
au salut, avec Raphaëlle
Paquette, Marie-Josée Lord,
Étienne Dupuis et Lyne Fortin.
Photo : Caroline Laberge

Expérience inouïe : des chanteurs classiques québécois qui interprètent en français des airs de *Starmania* et *Notre-Dame de Paris* devant des Coréens survoltés. Croyez-le ou non, chaque soir, avant que nous ne sortions du théâtre par la porte d'arrière-scène pour regagner notre autobus de tournée, la régisseuse québécoise demandait à être prévenue. Surtout avant que la gent masculine de la troupe ne sorte... Pourquoi ? Elle voulait prendre des photos pour immortaliser la scène qui se répétait : des centaines de jeunes Coréennes qui crient et qui sont complètement déchaînées à notre passage... *My God*, je n'aurais jamais cru vivre ça de toute ma vie ! Ce n'est qu'après cette série de concerts que la version opéra sur scène, avec décors, costumes, figurants, danseurs, a été créée. Une œuvre signée par les extraordinaires Michel Lemieux et Victor Pilon. Un spectacle grandiose que nous avons d'abord présenté à l'initiative de Grégoire Legendre, directeur général et artistique de l'Opéra de Québec, dans le cadre des festivités du 400e anniversaire de la ville de Québec. Avec mes collègues Marie-Josée Lord, Étienne Dupuis, Line Fortin et l'équipe, nous avons continué notre parcours à l'Opéra de Montréal pour une autre série de représentations. Nous devions aller en France, en Russie, en Espagne, et j'en

Juste avant de chanter
Le blues du businessman,
en entrevue avec Raphaëlle
Paquette qui interprétait
Cristal. Photo : Yves Renaud

oublie, mais pouvez-vous croire qu'à cause de chicanes avec les ayants droit de la partie musicale nous en avons été empêchés ? Quelle tristesse que de voir le plus impressionnant spectacle de ma carrière arrêté, cloué au sol pour une raison qui nous apparaît encore incompréhensible à ce jour. Nous avons eu tout de même une bien belle surprise à l'été 2016, quand le Festival d'opéra de Québec a demandé à l'équipe originale de faire un retour pour quelques représentations. Nous y étions toutes et tous, sans exception, tellement heureux de nous retrouver et, surtout, de présenter cette œuvre au public.

* * *

PASSONS À TABLE

Mon meilleur souvenir culinaire à vie

Lors de nos concerts à Séoul, en Corée du Sud, j'ai découvert un pays merveilleux, des gens sympathiques et, surtout, une cuisine qui est devenue une de mes expériences gastronomiques préférées parmi toutes celles que j'ai connues lors de mes nombreux voyages. Lorsqu'on est à table avec Luc Plamondon et la soprano Marie-Josée Lord, il faut être prêt à veiller tard et à déguster tout ce qu'il y a sur le menu !

BULGOGI (BŒUF BARBECUE CORÉEN)

Dans plusieurs restaurants à Séoul, un gril typiquement coréen est placé au centre des tables. On dirait une coupole, comme un wok à l'envers, avec un rebord pour recueillir le jus de cuisson. Attention, c'est très chaud, mais extrêmement convivial puisque chacun prépare ses ingrédients et choisit la garniture de son plat.

6 portions

Marinade
- 6 c. à soupe de sauce soya
- 2 c. à soupe de vin de riz (mirin)
- 1 c. à soupe d'huile de sésame grillé
- 3 c. à soupe de cassonade
- 1 poire asiatique ou pomme, pelées, évidées, en morceaux
- 1 petit oignon en morceaux
- 3 gousses d'ail
- 1 c. à thé de gingembre en fines lamelles
- ½ c. à thé de poivre noir moulu

Bœuf
- 800 g (1 ¾ lb) de faux-filet ou de surlonge de bœuf* en lanières fines

Légumes sautés
- 1 c. à soupe d'huile de riz ou de l'huile de votre choix
- 1 oignon en tranches fines
- 1 carotte en rondelles fines
- 2 oignons verts en tranches
- 1 c. à soupe de graines de sésame grillées

* Avant de commencer la recette, voici un petit truc pour tailler la viande en tranches fines. Placez la viande au congélateur de 2 à 3 heures. Elle sera juste assez ferme pour que vous puissiez la tailler sans difficulté.

Marinade Mettez tous les ingrédients de la marinade dans le récipient d'un mélangeur ou d'un robot culinaire et broyez jusqu'à l'obtention d'une sauce lisse. Réservez.   **Bœuf** Placez la viande finement tranchée dans un bol, versez la marinade et enrobez-la bien en massant doucement avec vos mains. Couvrez le bol d'une pellicule plastique et laissez mariner au moins 4 heures ou jusqu'au lendemain au réfrigérateur. Chauffez votre barbecue à feu moyen-élevé. Égouttez la viande. Réservez la marinade. Déposez la viande sur la grille. Plus les tranches sont fines, moins il faut de temps pour les cuire, parfois à peine 1 minute. Réservez.   **Légumes sautés** Dans une poêle, chauffez l'huile de riz à feu moyen-élevé et faites sauter l'oignon et la carotte 3 minutes. Ajoutez 4 cuillerées de la marinade, remuez et faites bien chauffer avant d'ajouter la viande. Transférez la viande dans une grande assiette, garnissez d'oignon vert et de graines de sésame. Vous pouvez accompagner ce plat de riz vapeur.

Une façon de manger ce mets consiste à enrouler une feuille de laitue autour d'une petite portion de viande.

HOTTEOK (GALETTE SUCRÉE CORÉENNE)

On peut comparer ces galettes à des pancakes américains. Une douceur apprêtée dans les kiosques de rue. J'ai été fasciné par la transformation des petites boutiques en comptoirs culinaires le soir venu. Sans farce, je voulais tout essayer, absolument tout !

6 galettes

Pâte
- 310 ml (1 ¼ tasse) de farine
- ½ c. à thé de sel de mer fin
- 1 c. à thé de sucre
- 1 c. à soupe de levure sèche instantanée
- 125 ml (½ tasse) de lait tiède
- Huile végétale pour la cuisson

Garniture
- 60 ml (¼ tasse) de cassonade foncée
- ¼ c. à thé de cannelle
- 2 c. à soupe de noix* hachées très finement

* J'utilise des arachides, des amandes et des graines de tournesol. N'hésitez pas à faire votre propre mélange.

Pâte Dans un grand bol, tamisez la farine, puis ajoutez le sel, le sucre et la levure. Versez le lait en remuant le mélange pour en faire une boule de pâte. Couvrez le bol d'une pellicule plastique ou d'un linge et laissez gonfler la pâte à température ambiante jusqu'à ce qu'elle ait doublé de volume, entre 60 et 90 minutes. Enfoncez vos doigts dans la pâte plusieurs fois. Couvrez de nouveau et laissez reposer 30 minutes.
Garniture Dans un bol, mélangez les ingrédients de la garniture. Enduisez vos mains d'un peu d'huile végétale et séparez la pâte en 6 boules. Aplatissez une boule avec vos mains et déposez-y 1 cuillerée de garniture. (Réservez le reste dans une grande soucoupe pour y tremper les beignets chauds.) Scellez en rassemblant les bords de la pâte. Répétez avec les 5 autres boules. **Cuisson** Dans une grande poêle, couvrez le fond d'huile et chauffez-la à feu moyen. Placez une boule ou plusieurs, selon la grandeur de votre poêle, en espaçant chacune. Faites cuire jusqu'à ce que le dessous soit légèrement doré, 30 secondes. Retournez-les, pressez avec une spatule pour obtenir une galette bien ronde et uniforme. Laissez cuire 1 minute ou jusqu'à ce que le dessous soit bien doré. Baissez le feu, retournez la galette, couvrez et poursuivez la cuisson 2 minutes afin que la garniture à l'intérieur fonde. (Je les retourne encore pour m'assurer que le beignet est doré également des 2 côtés.) Trempez les beignets dans le restant de garniture.

La galette est meilleure chaude, quand elle sort tout juste de la poêle. On peut aussi la manger froide. De toute façon, je ne sais pas pourquoi je dis ça, il n'y en aura plus en moins de temps qu'il ne faut pour les faire !

Complètement fou des comédies musicales

J'ai eu la chance de voir un bon nombre de comédies musicales, telles que *Cats, La cage aux folles, 42nd Street, A Chorus Line, Mary Poppins, Grease, Mamma mia, Hairspray, La mélodie du bonheur, Spiderman, Un violon sur le toit, The Lion King, Miss Saigon, Chicago, The Phantom of the Opera, Les misérables, Stomp, Notre-Dame de Paris, West Side Story, Jersey Boy* et plusieurs autres.

J'ai aussi eu le privilège de jouer dans *Décembre, La petite boutique aux horreurs, L'homme de la Mancha, Hair, Starmania, Sister Act, Little Night Music* et j'en oublie... Je pourrais difficilement établir un ordre de préférence, mais je peux tout de même vous donner une liste par ordre de plaisir. Voici mon top 3 :

Starmania

Opéra rock, livret de Luc Plamondon, musique du compositeur français Michel Berger, malheureusement décédé en 1992. À l'époque, il s'agissait d'une vision avant-gardiste de ce que serait le monde 40 ans plus tard... À mon avis, son thème est plus que jamais d'actualité.

La première a eu lieu au Palais des congrès de Paris le 10 avril 1979, avec, entre autres, Fabienne Thibeault, Diane Dufresne, Nanette Workman, France Gall, Daniel Balavoine. L'année suivante, *Starmania* prend l'affiche à la Comédie nationale de Montréal et met en scène notamment Louise Forestier, Martine St-Clair, France Castel, Sylvie Boucher et Robert Leroux. Plusieurs artistes se joindront à l'aventure au fil du temps, dont : Marie Carmen, Marie-Denise Pelletier, Norman et Richard Groulx, Jean Leloup, Marc Gabriel, Maurane, Bruno Pelletier, Luce Dufault... Certaines personnes seront peut-être surprises d'apprendre que la version du *Blues du businessman* de Claude Dubois fait référence à l'enregistrement de l'album, en 1978, une année avant le spectacle, mais qu'il n'a jamais joué le personnage sur scène.

Décembre, de Québec Issime

Depuis le premier lever de rideau en 2003, les critiques sont unanimes à louanger cette création incomparable. Un rendez-vous empreint de souvenirs et d'émotions qui touchera l'enfant qui sommeille en chacun de vous. C'est exactement ce que je ressens chaque soir où je foule les planches pour deux heures de marathon de chant, de jeu et de danse. Oui, vous avez

bien lu, je danse dans cette comédie musicale.
Assurément, le plus beau spectacle de Noël de
tous les temps. Je l'affirme haut et fort. Je joue
le personnage de M. Lemaire depuis quatre ans
maintenant. Le plaisir est immense de faire partie
d'un groupe qui est littéralement une famille.

L'homme de la Mancha

À l'origine, une comédie musicale américaine,
avec un livret de Dale Wasserman, des paroles
de Joe Darion et une musique de Mitch Leigh,
adaptée, pour la version française, par Jacques
Brel. Lorsque celui-ci voit en 1967, à New York,
Man of La Mancha, il veut instantanément en
faire une version française et jouer le personnage créé par Cervantes, Don Quichotte. Un très
grand rôle qu'il interprète à partir d'octobre 1968
de façon magistrale. Malheureusement, sa santé
décline — il perdra même 10 kilos et doit s'arrêter
de jouer le chevalier errant après 150 représentations, en mai 1969, pour préserver sa santé.

Pour ma part, j'ai à peine 18 ans quand j'interprète le rôle de Sancho, fidèle compagnon de
Don Quichotte. Imaginez une troupe de jeunes
adultes qui font du théâtre amateur en se donnant corps et âme. Nous avions l'ambition d'en
faire un métier, une vie.

Sancho, dans la comédie musicale
L'homme de la Mancha, fut mon plus
grand succès de théâtre amateur
avant d'en faire mon métier, en 1990.

ALERTE AU CONCERT EN FLORIDE

Chapitre 11

Depuis plus de 10 ans, chaque hiver, je vais donner une série de concerts en Floride. À cause de la pandémie mondiale de la COVID-19, les concerts en 2020 et 2021 ont dû être annulés. J'ai bien hâte de remettre cela à mon calendrier.

Lorsque j'y retournerai, j'en serai à ma 36e supplémentaire à guichets fermés. Je vous explique.

Je dois vous confesser qu'au départ, quand on m'a proposé de faire ces trois concerts en Floride, j'étais hésitant. Laissez-moi vous dire que ça n'a pas duré ! Dès ma première soirée, j'ai été charmé par ce public de « vacanciers professionnels ». L'attitude de l'assistance est bien différente. Les spectateurs, pour la plupart des retraités, sont très relax et disponibles pour une seule chose : le plaisir. Pour soutenir mon point de vue, je dirais que c'est évident que les gens ne sont pas pressés de partir après un spectacle. Ils veulent discuter, prendre des photos, un dernier verre, bref, c'est vraiment très convivial et j'adore ça.

J'ai quand même vécu une petite frousse la première fois à Hallandale Beach. J'arrive un dimanche, je m'installe tranquillement à l'hôtel, avec l'intention de profiter d'une journée libre. Je suis enchanté de me sauver quelques jours de l'hiver québécois. Le lendemain, j'ai rendez-vous à 11 heures pour voir la salle et effectuer le test de son. Tout se passe très bien. Je suis à l'affiche pour trois soirs, mardi, mercredi et jeudi. Après le test de son, retour à la plage... C'est merveilleux.

Le mardi arrive, je suis parfaitement reposé et bien prêt pour le premier concert. Je n'ai jamais le trac. Je sais bien, c'est assez bizarre, mais c'est comme ça. Par contre, je suis super excité et je ressens un peu d'insécurité parce que c'est un cadre que je n'ai pas connu jusqu'ici.

La représentation est à 20 heures. Les gens arrivent vers 18 heures pour déguster un bon repas, savourer un petit verre de vin, ou deux, s'amuser et profiter pleinement de la soirée. J'attends dans la loge avec ma pianiste. Lorsque c'est l'heure, allez hop, on monte sur scène pour offrir un concert d'une heure et demie... qui durera finalement presque trois heures ! Le public est en feu et en redemande sans cesse.

Lors d'un événement virtuel, en 2020, une soirée de célébrations musicales qui a pour but d'amasser des fonds pour le Regroupement Partage.

Déjà, en mettant le pied sur scène, une grande surprise m'attendait : la personne au premier rang, en plein centre, c'est Dominique Michel, notre Dodo nationale. Rien pour calmer le chanteur ! ! ! Quelque temps avant, j'avais chanté pour elle à l'émission d'*En direct de l'univers*, à Radio-Canada, qui lui était dédiée. Je devais partir pour un engagement en Europe ce soir-là et l'équipe de l'émission avait réussi à changer mon vol pour me permettre d'être présent. Tout de suite après ma prestation, une voiture m'avait conduit à toute vitesse à l'aéroport. Comme tous les invités, Dodo devait au préalable répondre à un questionnaire sur ses goûts musicaux. France Beaudoin, l'animatrice, m'avait prévenu que Dodo avait simplement écrit : « Je vous fais confiance, votre émission est toujours parfaite. La seule chose que je demande, c'est d'avoir Marc Hervieux qui chante le "Nessun dorma". » C'était impossible de refuser ! Dodo pensait peut-être qu'elle se faisait un cadeau, mais c'est plutôt à moi qu'elle en faisait un.

Après un concert au Club Tropical, à Hallandale Beach, en Floride : en compagnie de Jean Forand, Chantal Ménard, Danielle Ouimet, Dominique Michel, Judi Richards, Yvon Deschamps et mon pianiste Claude Webster.

Après l'avoir vue au premier rang, donc, je constate que la salle est vraiment remplie à craquer. Il y a du monde partout, aux tables, assis sur les côtés, debout à l'arrière. Moi qui m'inquiétais du nombre de personnes qui allaient se déplacer pour voir un concert classique en Floride… Par contre, la climatisation ne réussit pas à jouer parfaitement son rôle et il fait une chaleur intense.

La soirée s'étire et nous sommes très heureux du moment que nous vivons. Je fais de belles rencontres, beaucoup de photos sont prises et les conversations sont cordiales. Pour finir, on boit un petit drink avec Jean Forand, le producteur, qui, lui aussi, est ravi. Bref, la vie est bien bonne avec moi.

Le lendemain, mercredi, même programme : plage et concert ! Après une superbe journée à me prélasser au soleil, je passe prendre la pianiste et nous voilà en route. En nous approchant de la salle de spectacle, nous sommes étonnés de la scène : il y a plusieurs camions de pompiers et des autos-patrouilles de police. J'imagine le pire, mais en même temps, je ne vois pas de feu, les gens semblent calmes et aucun indice ne laisse croire à une catastrophe.

Je passe par la porte qui mène à la loge à l'arrière-scène. Je n'ai pas long-temps à attendre avant que le producteur vienne m'expliquer la situation. À voir sa mine déconfite, on comprend que ça ne va pas bien. « Voilà, dit-il, tu sais, c'est la folie, les gens veulent venir t'entendre chanter et j'ai poussé un peu fort la vente des billets. Il y a trop de monde pour la capacité de la salle. Quelqu'un a dû porter plainte hier soir après le spectacle, ou aujourd'hui, peu importe, mais les pompiers exigent qu'une centaine de personnes quittent la salle. Sinon, ils menacent de couper l'électricité et de faire évacuer l'immeuble. »

Bon… que faire ? Comment choisir les 100 personnes qui doivent renon-cer à assister au concert, ce soir ? Et ce qui n'arrange rien, le producteur m'avoue que le même problème se produira demain. Il y a autant de billets ven-dus en trop. Comme j'avais décidé de rester deux jours de plus pour profiter du soleil et de la chaleur, je lui propose de vérifier si nous pouvons avoir la salle le vendredi et le samedi. Nous pourrions alors ajouter deux spectacles, expliquer les circonstances et offrir aux spectateurs lésés de revenir une de ces soirées.

Pas de chance, la salle n'est pas libre. Mais le propriétaire compréhensif nous assure qu'il parviendra à déplacer deux événements et que ces deux sup-plémentaires pourront avoir lieu. Parfait. Jean, le producteur, monte sur scène et explique ce qui se passe. Cela ne manque pas de créer une certaine commo-tion. La discussion avec les spectateurs mène à l'offre d'un cocktail en cadeau et rapidement une centaine de personnes se portent volontaires. Je vous le disais, c'est l'avantage des vacances prolongées !

Nous avons la solution. Maintenant que nous sommes en règle, que les pompiers sont contents, que tout le monde a gardé sa bonne humeur : le spec-tacle. Je me retrouve donc instantanément avec cinq concerts plutôt que trois. Il reste tout de même à répéter l'exposé aux spectateurs du lendemain… On se calme, un jour à la fois !

Depuis cette expérience, j'y retourne chaque année, et nous nous remé-morons immanquablement cette aventure chaque fois.

* * *

PASSONS À TABLE

La cuisine *made in USA* !

À chacun de mes séjours dans n'importe quel coin des États-Unis, je suis frappé par la façon qu'ont les Américains d'aborder la nourriture. On a constamment l'impression qu'il faut que ce soit énorme pour que ce soit bon ! J'ai eu envie de recréer trois recettes marquantes de mes passages en Floride, de la cuisine de Key West. C'est aussi le souvenir de plusieurs restaurants que j'ai fréquentés.

GIGANTESQUE CRÊPE CHOCO-ARACHIDES

8 portions

Crêpes
- 125 ml (½ tasse) de beurre fondu
- 3 œufs
- 750 ml (3 tasses) de lait
- 830 ml (3 ⅓ tasses) de farine
- 6 c. à soupe de poudre à pâte
- 1 c. à thé de sel
- Beurre pour la cuisson

Garniture
- 250 ml (1 tasse) de pépites de chocolat
- 250 ml (1 tasse) de beurre d'arachides crémeux
- 1 banane en tranches
- Pépites de chocolat pour la décoration
- Sirop d'érable
- Sucre à glacer (facultatif)

Crêpes Dans un bol, à l'aide d'un fouet, mélangez le beurre, les œufs et le lait. Dans un grand bol, tamisez la farine et ajoutez la poudre à pâte et le sel. Versez le mélange liquide et fouettez jusqu'à l'obtention d'une consistance homogène. Dans une poêle moyenne, faites fondre à feu moyen une bonne noix de beurre, suffisamment pour enduire toute la surface. Versez un peu moins de la moitié du mélange et laissez cuire 5 minutes. **Garniture** Mettez 80 ml (⅓ tasse) de pépites de chocolat au centre de la crêpe. Couvrez de la moitié du beurre d'arachides et de 3 cuillères à soupe de pépites de chocolat. Ajoutez juste un peu du mélange à crêpe pour couvrir et lisser délicatement la surface. Retournez la crêpe, réduisez à feu très doux, couvrez et poursuivez la cuisson 20 minutes, jusqu'à ce que les bords soient fermes et que des bulles apparaissent sur le dessus. Le centre reste moelleux et c'est parfait ainsi. Retournez la crêpe et faites cuire au moins 7 minutes. Gardez cette crêpe au chaud et répétez l'opération pour la deuxième crêpe. Superposez les 2 crêpes dans une assiette de service, garnissez des tranches de banane, de quelques pépites de chocolat et arrosez généreusement de sirop d'érable. Vous pouvez aussi saupoudrer de sucre à glacer. C'est vous qui décidez... c'est vous qui la mangerez !

OH !
JAMBALAYA

J'ai mangé un très bon jambalaya au Sundy House de Delray Beach, en Floride. Vous devriez voir les jardins et les terrasses de ce restaurant ! On y mange au beau milieu de la jungle ! Pour ce qui est de la recette, je n'ai pas l'originale... mais ça devrait ressembler à ça.

4 portions

- 1 c. à soupe d'huile d'olive
- 1 oignon haché
- 1 poivron vert haché
- 1 poivron rouge haché
- 500 g (1 lb) de poitrines de poulet en cubes de 2,5 cm (1 po)
- 1 c. à thé d'origan
- 2 chorizos en rondelles
- 2 gousses d'ail hachées
- 2 c. à soupe de pâte de tomates
- 500 ml (2 tasses) de bouillon de poulet
- 1 boîte de 398 ml (14 oz) de tomates concassées
- 250 ml (1 tasse) de riz à grain long
- 2 c. à thé d'assaisonnement Old Bay*
- 500 g (1 lb) de crevettes moyennes décortiquées
- 80 ml (⅓ tasse) de persil haché
- Sel et poivre

* Un mélange d'épices typique de la côte américaine que l'on trouve dans tous les supermarchés.

Dans une grande casserole, chauffez l'huile à feu moyen. Faites revenir l'oignon et les poivrons. Après 5 minutes, ajoutez le poulet, l'origan, et assaisonnez selon votre goût. Cuisez de 5 à 7 minutes de plus jusqu'à ce que le poulet soit uniformément doré. Ajoutez d'abord le chorizo, remuez, puis incorporez l'ail et la pâte de tomates. Sur le feu, laissez les saveurs s'amalgamer 2 minutes avant d'ajouter le bouillon, la tomate, le riz et l'assaisonnement Old Bay. Réduisez le feu à moyen-doux, couvrez et laissez cuire une vingtaine de minutes, jusqu'à ce que le riz soit tendre. (Le liquide sera presque entièrement absorbé.) Ajoutez les crevettes, remettez le couvercle et poursuivez la cuisson de 3 à 5 minutes, jusqu'à ce qu'elles soient roses (S.V.P. pas trop longtemps). Au moment de servir, incorporez le persil.

BAGATELLE QUI SE PREND POUR UNE KEY LIME PIE

La Key lime pie est certainement le dessert signature de la Floride, surtout dans le sud-est. Je vous propose de déconstruire cette tarte pour l'apprêter en bagatelle !

8 à 10 portions

Croûte de biscuits
- 500 ml (2 tasses) de chapelure de biscuits Graham
- 250 ml (1 tasse) de pacanes hachées
- 125 ml (½ tasse) de cassonade
- 250 ml (1 tasse) de beurre fondu

Mélange au fromage
- 2 paquets de 250 g de fromage à la crème ramolli
- 2 boîtes de 300 ml de lait condensé sucré
- 375 ml (1 ½ tasse) de jus de lime fraîchement pressé ou 180 ml (¾ tasse) de jus de lime concentré du commerce
- Zeste de 3 limes haché finement

Crème fouettée
- 1 l (4 tasses) de crème à fouetter 35 %
- 125 ml (½ tasse) de sucre à glacer
- 3 c. à thé de vanille

Garniture
- 125 ml (½ tasse) de pacanes hachées grillées
- 60 ml (¼ tasse) de noix de coco en flocons légèrement grillés
- Zeste de 1 lime

Croûte de biscuits Préchauffez le four à 200 °C (400 °F). Dans un bol, mélangez la chapelure de biscuits, les pacanes et la cassonade. Incorporez le beurre. sur une plaque et étalez en appuyant. Enfournez 10 minutes jusqu'à ce que le dessus soit doré. Brisez cette croûte pour obtenir des petits morceaux inégaux. **Mélange au fromage** Dans un bol, à l'aide d'un batteur électrique, mélangez le fromage à la crème et le lait condensé jusqu'à l'obtention d'une consistance homogène. Incorporez le jus et le zeste de lime. **Crème fouettée** Dans un bol, fouettez la crème jusqu'à ce qu'elle commence à épaissir. Ajoutez le sucre à glacer et la vanille. Fouettez jusqu'à la formation de pics fermes. **Montage** Dans un bol à bagatelle de 2,5 l (10 tasses), superposez la moitié des morceaux de croûte de biscuits, puis la moitié du mélange au fromage et la moitié de la crème fouettée. Répétez. Couvrez et réfrigérez au moins 4 heures. **Garniture** Au moment de servir, parsemez le dessus de pacanes, de noix de coco et de zeste de lime.

J'adore ce genre de dessert, qui se dévore d'abord des yeux. On le dépose au milieu de la table pour que chacun s'en serve une portion ou, dans la famille, tout le monde plonge sa cuillère dans le plat commun.

Les concerts en Floride

J'ai chanté toutes sortes de répertoires lors de ces nombreux concerts dans le sud des États-Unis. Le genre le plus aimé et les demandes les plus fréquentes portaient sur la chanson napolitaine. On pourrait décrire ce style ainsi : chansons populaires de la région de Naples, en Italie, ce sont des complaintes amoureuses ou des tarentelles très rythmées composées géné-ralement pour des voix d'hommes et interprétées dans le dialecte napolitain.

'O sole mio !

Composée en 1898 par Eduardo di Capua sur des paroles du poète napolitain Giovanni Capurro au cours d'un voyage en Ukraine. L'air et les paroles évoquent simplement l'amour et la beauté d'une journée napolitaine ensoleillée. Elle aurait été inspirée par le mal du pays. Elvis Presley en fera une version à son retour du service militaire, *It's Now or Never*, qui trônera au palmarès *Billboard* Hot 100 pendant 5 semaines avec des ventes de plus de 20 millions de disques.

Torna a Surriento

Chanson napolitaine composée en 1902 par Ernesto de Curtis sur des paroles en napolitain de son frère, Giambattista. J'ai longtemps pensé que cette chanson racontait une magnifique histoire d'amour jusqu'au jour où j'ai appris qu'elle avait été écrite pour un politicien... oooh, quelle déception ! Je continue quand même à la chan-ter comme si c'était la sérénade d'amour que je croyais qu'elle était.

Funiculì funiculà

Chanson napolitaine composée par Luigi Denza en 1880 sur des paroles en napolitain du journaliste italien Giuseppe Turco. Cette chanson est une commande pour l'inauguration du funi-culaire du mont Vésuve.

Dicitencello vuje

Chanson du répertoire napolitain composée en 1930 par Rodolfo Falvo sur un texte d'Enzo Fusco. Un homme déclare son amour à une femme de façon indirecte en s'adressant à l'une de ses amies à qui il demande de l'aviser de ses sentiments. Au dernier couplet, en apercevant une larme qui glisse sur sa joue, l'homme avoue qu'en réalité c'est elle qu'il aime. C'est aussi la chanson qui a inspiré le compositeur Lucio Dalla pour son grand succès, la célébrissime chanson *Caruso*.

Un disque entièrement en italien et en napolitain.

Photo : Julien Faugère

UN PAPILLON DANS L'OREILLE

Chapitre 12

Il y avait si longtemps que nous n'avions pas été seuls à la maison, sans enfants ! Nos trois filles étaient chacune en visite chez un ami et nous avions profité d'une superbe soirée pour nous retrouver en amoureux. Imaginez, en plus, une soirée parfaite du mois de juillet de 27 degrés Celsius et une légère brise qui rafraîchit. Un beau moment sur la terrasse : un long apéro, un super barbecue, de joyeuses discussions sans interruption de nos jeunes filles (on les aime, mais, quand même, une petite pause de temps en temps, c'est bénéfique).

Il est environ 23 h 30 et je décide d'aller arroser les fleurs, car nous serons absents les trois prochains jours. Je participe à un concert extérieur dans le cadre de l'édition 2015 du Festival d'opéra de Québec. Il me faut bien une demi-heure pour faire le tour des platebandes. Je termine par celle qui se trouve à l'avant de la maison. La tâche terminée, je prends le temps de ranger le boyau d'arrosage. Je me dirige ensuite vers la porte d'entrée d'un pas triomphant, prêt à annoncer que nous pouvons partir tranquilles demain matin pour cette escapade travail-plaisir dans la belle ville de Québec.

Je monte les quelques marches et je traverse un petit nuage d'insectes agglutinés autour de la lanterne à côté de la porte. Il y a, entre autres, des dizaines de petits papillons de nuit. Vous savez, ces papillons couverts d'une poudre blanchâtre qui reste sur nos doigts lorsqu'on en attrape un.

À la seconde où je mets le pied sur le perron, un de ces papillons attire mon attention. Je suis des yeux sa trajectoire. À peine de la grosseur d'un 10 sous, il semble être pas mal décidé en volant en ligne droite vers moi, puis il bifurque vers la droite, prend un élan fougueux et s'enfonce dans mon oreille jusqu'à atteindre mon tympan ! Une fois coincé bien au fond, il tente désespérément de ressortir. Ses battements d'ailes me sont insupportables, car c'est si proche de mon tympan que j'ai l'impression que quelqu'un joue du tambour directement dans mon oreille.

J'entre en trombe dans la maison en sautillant pour faire sortir l'insecte, mais rien à faire. Le bruit que je fais et mes lamentations (je suis un gars, après tout) alertent Caroline, qui arrive très rapidement.

« Que se passe-t-il, Marco ? demande-t-elle.

Concert avec La Sinfonia de Lanaudière, sous la direction du chef Stéphane Laforest, présenté dans la cour du Séminaire de Québec à l'occasion du Festival d'opéra de Québec, en 2015.

« — J'ai un papillon de nuit bien enfoncé dans l'oreille et il bat de l'aile, le malheureux. Je ne sais quoi faire. »

Caro émet l'idée de génie que si je saute dans la piscine et plonge la tête sous l'eau, le papillon se noiera et arrêtera de s'agiter. On verra ensuite comment le dégager de sa position pour le moins inhabituelle. Sans hésiter, je saute tout habillé dans l'eau et l'objectif est pratiquement instantanément atteint : le papillon cesse de battre des ailes et mon soulagement est presque total... Pas tout à fait, parce que je réalise soudainement que je suis sourd à 90 % de l'oreille droite. J'imagine que le papillon mort est maintenant agglutiné à mon tympan, ce qui m'empêche d'entendre correctement.

Je cours à mon ordinateur pour trouver une façon de faire sortir l'insecte de mon oreille. À ma très grande surprise, il y a de nombreuses vidéos sur Internet de situations similaires. Après plusieurs visionnements, j'opte pour une solution : quelques gouttes d'huile d'olive dans le canal auditif et me coucher sur mon côté droit en espérant que l'insecte glissera tranquillement hors de mon oreille.

Au réveil, c'est pire, je suis sourd à 100 % du côté droit. Je dois pourtant me rendre à la répétition du concert qui se tient à Montréal. Je préviens mes collègues et le chef d'orchestre de ma situation plutôt insolite. Entendre seulement d'une oreille rend les choses assez ardues. Chanter avec un orchestre symphonique dans cet état ne sera pas une mince affaire. La répétition se termine, on se salue en se donnant rendez-vous dans 24 heures à Québec, sur la scène extérieure aménagée dans la cour du Séminaire, un lieu paradisiaque pour une soirée musicale.

Je me dis que d'ici là, après une deuxième nuit de traitement à l'huile d'olive, tout sera rentré dans l'ordre. Mais le lendemain matin, jour du concert, je suis consterné, car je suis dans la même mauvaise posture : le maudit papillon est toujours bien accroché à mon tympan et refuse obstinément de sortir.

J'avoue qu'à ce moment l'angoisse m'envahit. Comment se déroulera le concert avec la moitié de mes capacités auditives ? Tout de même, déterminés, Caroline et moi nous mettons en route vers Québec. Je dois y être pour la répétition générale à 14 heures. Le trajet de chez moi, dans les Laurentides, jusqu'à destination est de 3 h 15.

Pour ne pas entièrement gâcher notre plaisir, nous décidons de partir tôt et de casser la croûte sur place. Il fait encore beau et chaud. Un lunch en terrasse sera bien apprécié. Nous filons sur l'autoroute à 115 kilomètres à l'heure (Oups ! un petit excès de vitesse) lorsqu'au tableau de bord un voyant lumineux m'indique qu'il y a un problème avec la pression de mon pneu gauche avant. Je n'ai pas le temps de l'annoncer à Caroline que la voiture devient incontrôlable et que je dois m'arrêter sur l'accotement. Nous sortons du véhicule et nous nous rendons compte que le pneu a éclaté. Un pneu tout neuf du printemps.

Légèrement décontenancé, mais pas sans ressources, j'appelle l'assistance routière. C'est un peu compliqué parce que la téléphoniste se trouve dans une autre province et je peine à lui expliquer notre position géographique, sans adresse et sans point de repère. Nous sommes à environ 40 minutes de Québec. Si proches de notre but, mais, dans les circonstances, cela paraît encore loin.

Je vous épargne les détails, mais, finalement, après une heure d'attente en plein soleil, la dépanneuse arrive. La voiture pourra être remorquée chez un concessionnaire à 15 minutes de notre position et je pourrai louer une voiture pour me rendre à la répétition.

Pauvre Caro qui attend la dépanneuse sur le bord de l'autoroute 40, sous un soleil de plomb.

Le temps d'arrimer ma voiture à la plateforme de la remorque, de se rendre au garage, d'organiser la location d'une voiture et de parcourir les derniers kilomètres... j'arrive à la répétition à 16 h 25, cinq petites minutes avant qu'elle ne se termine ! Je devrai donc donner le concert sans avoir répété ni même avoir fait l'incontournable test de son.

Tout le monde s'informe de mon problème d'audition — relégué au deuxième rang de mes préoccupations après le parcours rocambolesque que Caroline et moi avons connu depuis notre départ de la maison. Je confirme à mes collègues que, malheureusement, rien n'a évolué de ce côté. Spontanément, mon amie et collègue, la soprano Marie-Josée Lord, me propose le numéro de téléphone de son otorhinolaryngologiste de Québec. Je le connais pour l'avoir déjà consulté et, justement, grand amateur d'opéra, il y a de fortes chances pour qu'il assiste au concert ce soir. À mon grand bonheur, il répond à mon appel. Je lui explique ma fâcheuse situation et il m'annonce ce que je voulais plus que tout entendre : il a son billet pour le concert, il arrivera plus tôt avec sa trousse et procédera à une légère intervention chirurgicale dans ma loge ! Quel soulagement j'ai ressenti !

À 19 heures tapant, mon héros, mon sauveur, frappe à la porte ! Le docteur s'installe, sort de sa trousse de longs objets fins métalliques, ajuste la lumière à son front et s'approche de mon oreille. Il regarde à l'intérieur, relève la tête et me confirme le diagnostic : le papillon est bien là, collé à mon tympan. Il exécute sa manœuvre pour extirper l'insecte et m'annonce quelques secondes plus tard qu'il a bien tout nettoyé. Que c'est réglé. Ou presque ! « Un seul inconvénient, me dit-il. Comme l'oreille a détecté un corps étranger, un signal a été transmis au cerveau afin de déclencher un système de protection, ce qui a provoqué le problème d'audition. Il faudra encore plusieurs jours avant que l'ouïe soit rétablie. » Je suis si heureux de savoir la bestiole sortie de mon oreille que je suis prêt à vivre avec ce désagrément quelques jours de plus.

Plus que 15 minutes avant le concert... ouffff... quelques vocalises et, même si l'oreille n'y est pas, la voix, elle, assure son rôle ! Que le concert commence ! *The show must go on*, comme on dit dans le métier. L'orchestre attaque les premières notes. Je dois adapter ma position pour être certain d'entendre ce qui est important et, surtout, pour ne pas perdre de vue le maestro, qui m'indiquera mes entrées et les passages les plus compliqués.

Effectivement, il a fallu six jours avant que je recouvre totalement l'ouïe. Juste assez de temps pour m'angoisser et penser que ça ne reviendrait jamais... Ah ! les artistes et leurs insécurités !

* * *

Envolée lyrique ! Sur une
note aiguë, c'est certain ! ! !

PASSONS À TABLE

On se fait une petite terrasse ?

Je vous propose un menu d'été, sur la terrasse, à la maison. Ce fut une journée mémorable, et je me souviens aussi très bien de cette fin de soirée. Le concert terminé, Caroline et moi voulions trouver une belle terrasse pour relaxer et dédramatiser les péripéties des derniers jours. À notre grand étonnement, tout était fermé ! Seule la restauration rapide accueillait encore des clients à cette heure tardive. Bien que j'aime ça, à l'occasion, ce soir-là, j'aurais plutôt choisi un endroit calme, une douce ambiance, si vous voyez ce que je veux dire ! Pourquoi tout était fermé ? C'est qu'il était très tard. Le concert commençait à la tombée de la nuit, vers 21 heures, et il s'est terminé à 23 heures. Le temps de rencontrer les spectateurs, de discuter entre collègues... il était déjà passé minuit. Eh bien, oui, notre repas relaxant, ce fut une poutine d'une chaîne bien connue à Québec !

SALADE FRAÎCHE D'ÉTÉ AUX AGRUMES

Je suis fou de ce genre de salade ! Vous pouvez l'adapter à votre goût, en variant les herbes, les noix ou le fromage, en ajoutant des pois chiches… il y a autant de combinaisons possibles que de gens pour la déguster. Soyez créatif et même aventureux, car de très bons produits dans une salade, je ne vois pas pourquoi ça ne fonctionnerait pas, quoique…

6 portions

Vinaigrette
- 125 ml (½ tasse) d'huile d'olive de bonne qualité
- 4 c. à soupe de vinaigre de vin blanc
- 2 c. à thé de jus d'orange
- 1 c. à thé de jus de lime
- 1 c. à thé de moutarde de Dijon
- 1 c. à soupe de miel
- 1 ou 2 gousses d'ail hachées très finement
- Sel et poivre

Salade
- 1 radicchio ou 750 ml (3 tasses) de votre laitue préférée, en fines lanières
- 1 avocat bien mûr en tranches
- Suprêmes de 1 pamplemousse (rose, de préférence), pelé à vif
- Suprêmes de 1 orange sanguine, pelée à vif
- Suprêmes de 1 orange (de type Navel), pelée à vif
- ½ bulbe de fenouil (avec ses petites feuilles) en tranches fines
- 80 ml (⅓ tasse) de feta en cubes (j'adore, j'en mettrais partout)
- 80 ml (⅓ tasse) de pacanes, de noix de Grenoble ou autres, hachées
- Sel et poivre

S'il vous reste de la vinaigrette ou une prochaine fois, essayez ces asperges grillées.

Asperges grillées au barbecue arrosées de vinaigrette. Badigeonnez les asperges d'huile d'olive, salez et poivrez. Chauffez le barbecue à intensité moyenne-vive et placez les asperges sur la grille pour bien les saisir. Elles seront prêtes lorsqu'elles seront tout juste tendres et encore croquantes. Et hop ! dans un plat de service. Versez la vinaigrette et servez.

Oooh que ça goûte l'été !

Vinaigrette Dans un bocal, amalgamez tous les ingrédients de la vinaigrette en secouant vigoureusement. **Salade** Dans un grand bol, mélangez les ingrédients de la salade à l'exception de la feta et des noix. En un long filet, versez la moitié de la vinaigrette sur la salade et mélangez. Parsemez la salade de feta et de noix. Goûtez, rectifiez l'assaisonnement et ajoutez, si nécessaire, un peu ou le reste de la vinaigrette. Servez en entrée ou avec le saumon de Caro aux pistaches et au citron, p. 154.

LE SAUMON DE CARO AUX PISTACHES ET AU CITRON

Lorsque Caro annonce qu'elle cuisinera un saumon, toute la famille lui demande de faire sa recette aux pistaches et au citron. Invariablement, elle nous répond : « Il n'y a pas de recette, je fais ça d'instinct. » Finalement, c'est toujours aussi bon !

6 portions

- 1 filet de 1,5 kg (3 lb) de saumon ou de truite avec la peau
- 250 ml (1 tasse) de pistaches hachées finement
- 1 c. à soupe de zeste de citron
- 2 c. à soupe de jus de citron
- 2 c. à soupe de beurre salé fondu
- 2 c. à soupe de crème 35 % (facultatif... mais pas tant que ça !)
- 1 gousse d'ail hachée très finement
- 1 c. à soupe d'aneth haché
- 2 c. à soupe de persil haché
- 1 c. à soupe de sirop d'érable
- 2 citrons ou limes en quartiers
- Sel et poivre

Préchauffez le four à 240 °C (475 °F). Tapissez une plaque de papier parchemin et disposez-y le saumon, côté peau en dessous. Dans un petit bol, versez les pistaches, le zeste et le jus de citron, le beurre, la crème (puisque vous avez finalement décidé d'en mettre), l'ail, l'aneth, le persil, le sirop d'érable, le sel et le poivre. À l'aide d'une cuillère en bois, battez jusqu'à l'obtention d'une pâte homogène. Tracez un sillon dans la chair du poisson, sur la longueur, pour permettre aux arômes de bien pénétrer. Étalez uniformément la pâte aux pistaches sur le poisson. Vous pouvez attendre de 15 à 20 minutes pour permettre aux saveurs de bien pénétrer le saumon avant d'enfourner. Comme je préfère la chair semi-cuite, 15 minutes de cuisson suffisent, mais si vous aimez le saumon moins rosé, vous pouvez le laisser au four 5 minutes de plus. Coupez en 6 parts égales et servez avec la salade fraîche d'été aux agrumes (p. 152) ou les asperges grillées (p. 152) !

VACHERIN GLACÉ AUX FRAISES ET À LA NOIX DE COCO

* Placez les biscuits Graham dans un grand sac en plastique, scellez et écrasez en fines miettes avec un rouleau à pâtisserie.

8 à 10 portions

Croûte de biscuits Graham
- 1 tasse de noix de coco râpée non sucrée
- 125 ml (½ tasse) de biscuits Graham émiettés* ou de chapelure de biscuits Graham
- 125 ml (½ tasse) de beurre doux fondu
- 1 c. à soupe de cassonade
- 1 pincée de sel

Garniture de crème glacée
- 1 l (4 tasses) de crème glacée à la noix de coco (de très bonne qualité, faite avec de la vraie crème)

- 1 l (4 tasses) de crème glacée aux fraises (d'aussi bonne qualité)
- 250 ml (1 tasse) de fraises du Québec en tranches
- 1 c. à soupe de jus de citron
- 1 c. à soupe de sucre
- Quelques fraises pour la décoration

Croûte de biscuits Graham Préchauffez le four à 180 °C (350 °F) et placez la grille au centre. Faites griller la noix de coco sur une plaque, de 3 à 5 minutes, jusqu'à ce qu'elle soit dorée. Laissez refroidir. Réservez une cuillerée de noix de coco grillée pour la décoration. Transférez le reste dans un bol. Ajoutez la chapelure de biscuits, le beurre, la cassonade, le sel et mélangez. Beurrez une assiette à tarte de 23 cm (9 po) ou un grand emporte-pièce rectangulaire déposé sur une assiette. Pressez fermement le mélange de biscuits dans le fond avec le fond d'un verre plat. Mettez au congélateur. **Garniture de crème glacée** Dans un grand bol, mettez les 2 crèmes glacées. Laissez ramollir 15 minutes avant de les mélanger, à l'aide d'une cuillère en bois, sans trop amalgamer les 2 parfums et en gardant de gros morceaux. Mettez au congélateur. Dans un bol, combinez les tranches de fraises au jus de citron et au sucre. Laissez reposer 1 heure. Sortez du congélateur le mélange de crème glacée pour le rendre malléable, 10 minutes. **Montage** Sortez la croûte du congélateur et étalez dans le fond la moitié du mélange de crème glacée. Superposez des tranches de fraises et couvrez du restant de mélange de crème glacée. Saupoudrez le dessus de la noix de coco réservée et décorez de quelques fraises. Remettez au congélateur au moins 2 heures avant de servir.

Le meilleur truc que je peux vous donner est de couper le gâteau avec un grand couteau trempé dans un bocal d'eau chaude entre chaque coupe.

La musique, dans tout ça...

L'historique de l'Opéra de Québec
Il y eut d'abord les défricheurs que sont les artistes du Théâtre lyrique de Nouvelle-France (1961), de l'Opéra du Québec (1966-1970), puis ceux de la Société lyrique d'Aubigny (à compter de 1968) qui ont soutenu la cause de l'opéra à Québec. Le 7 janvier 1983 naît la Fondation de l'Opéra de Québec, qui mène à la création de ce dernier (16 novembre 1983). Sa mission est de produire des spectacles d'opéra professionnels dans la ville de Québec.

En mai 1985 arrive enfin la première production de la compagnie. On présente le grand opéra de Giacomo Puccini, *Madama Butterfly*. La production est une grande réussite.

Des vœux de succès parviennent des quatre coins du globe, de la part de personnalités aussi prestigieuses que Luciano Pavarotti, Jessye Norman, Placido Domingo, Jon Vickers, Wilhelmenia Fernandez, Pierrette Alarie et Léopold Simoneau. L'Opéra de Québec marque un grand coup dès l'inauguration : un procédé avant-gardiste permet la projection de surtitres en français. Une première non seulement au Québec, mais dans toute la francophonie.

En 2011, c'est la tenue du premier Festival d'opéra de Québec.

Vous avez envie d'entendre les opéras que j'ai eu la chance de chanter sur la scène du Grand Théâtre de Québec ? En voici la liste :

2002-2003 : *Rigoletto*, de Giuseppe Verdi
2003-2004 : *Manon*, de Jules Massenet
2004-2005 : *Les Contes d'Hoffmann*, de Jacques Offenbach
2006-2007 : *La bohème*, de Giacomo Puccini
2007-2008 : *Starmania*, opéra rock de Luc Plamondon et Michel Berger
2008-2009 : *Cavalleria Rusticana*, de Pietro Mascagni
2009-2010 : *Lucia di Lammermoor*, de Gaetano Donizetti
2010-2011 : *La Chauve-souris*, de Johann Strauss
2012-2013 : *La Vie parisienne*, de Jacques Offenbach

Bonne écoute !

CHICAGO

Chapitre 13

Je raconte plein d'aventures dans ce livre et dans mon premier *Bon vivant!* Et croyez-moi, j'ai vécu bien d'autres expériences, heureuses ou malencontreuses, que je pourrais aussi mettre sur papier. Je ne sais pas pourquoi, il m'arrive constamment toutes sortes d'histoires rocambolesques. C'est évident que plus on fait de choses, plus on a de chances de vivre des moments spéciaux.

En voici un autre exemple. À Noël 2018, j'ai reçu, comme cadeau de Caroline, un week-end gourmand à Chicago. Wow! quelle belle idée, moi qui rêve d'aller au grand restaurant Alinea depuis longtemps. Ce resto, hors de prix, offre une grande expérience gastronomique avec ses 16 ou 18 services, si ma mémoire est bonne. Et ce sont visuellement, du premier au dernier plat, des chefs-d'œuvre. Je le sais pour en avoir vu des photos. À mon avis, c'est à vivre une fois dans sa vie et de préférence en se faisant inviter, ha, ha, ha!

Nous prévoyons passer trois ou quatre jours à Chicago vers la fin du mois de mai. La température sera plus chaude, mais pas trop, et il y aura peu de touristes en cette période de l'année. Durant les mois précédents, nous planifions notre séjour en faisant des recherches sur les restaurants, les musées, les spectacles... Notre entourage nous conseille sur ce qui est à voir ou à éviter. Comme nous y passerons peu de temps, il n'y a pas un instant à perdre. J'ai bien hâte de voir si Chicago mérite le surnom de « ville des vents » qui lui a été attribué pour la première fois dans le journal *Chicago Tribune*, en 1858. Ce surnom tiendrait au fait que le vent venant du lac Michigan frappe fort la pointe sud-ouest de la ville.

Aux lieux à visiter s'ajoute notre virée gourmande, dont la liste ira de la légendaire Chicago-style Deep dish pizza à la renommée table d'Alinea. Pour obtenir des places à ce restaurant, on doit attendre que s'ouvre un bloc de réservations. Ma blonde, début mars, a bien l'intention de sauter sur l'ordinateur le moment venu pour ne pas manquer notre chance. Le jour J arrive, et Caroline se branche, malheureusement quelques minutes trop tard : c'est déjà complet. Nous sommes déçus, mais ce n'est pas le seul bon restaurant à Chicago, nous en trouverons un autre. Quelques jours avant notre départ, nous sommes attablés à une terrasse de Saint-Lambert avec des amis qui habitent cette merveilleuse banlieue de Montréal, sur la Rive-Sud. Nous sommes bien excités de leur faire part de notre programme du prochain week-end et de la belle expérience

Caroline au cœur de l'impressionnante ville de Chicago.

que nous nous promettons de vivre. Évidemment, nous ne manquons pas de mentionner notre mini-déception de ne pas aller au restaurant Alinea. Notre ami nous surprend en disant que son associé, que nous connaissons pour l'avoir croisé une ou deux fois, a une nouvelle fréquentation, une Américaine. Ils ont leurs habitudes à Chicago puisqu'elle y travaille régulièrement. Notre ami nous propose de lui demander ses recommandations de restos et peut-être même de voir si ses relations ne pourraient régler le petit souci de réservation à l'Alinea. C'est gênant, mais c'est tentant ! Alors nous acceptons, nous n'avons de toute façon rien à perdre.

La très courue Pizzeria Uno, où l'on peut déguster la Deep dish pizza, dont je vous présente ma version, à la page 166.

Nous arrivons à Chicago le vendredi matin et sommes éblouis par la ville. Côté restauration, nous n'avons pas eu de nouvelles de notre ami, mais notre horaire est déjà bien chargé et nous sommes prêts à explorer la cité dans ses moindres recoins. Notre premier arrêt sera la pizzeria où a été inventée la légendaire Deep dish pizza, dont la particularité est qu'elle est cuite dans un moule creux et que le fromage se trouve directement sur la croûte et la sauce, par-dessus. L'inventeur de cette pizza inversée serait Ike Sewell, qui fut le propriétaire de la Pizzeria Uno, ouverte en 1943, jusqu'à son décès en 1990. Si cela vous intéresse, elle est située à l'angle de la rue Ohio et de l'avenue Wabash. Ce n'est pas la pizza que je préfère, mais il nous fallait absolument la goûter : première mission réussie ! Il faudra beaucoup marcher pour éliminer les calories ingurgitées... il n'est que midi ! Une alerte sur le téléphone de Caroline l'avertit d'un courriel entrant : c'est l'associé de notre ami qui prend contact avec nous. Il nous propose un restaurant qui s'appelle Roister, dans le Fulton Market District. Si vous passez par Chicago, vous devez absolument aller dans ce quartier. Le resto en question appartient au même groupe qui possède l'Alinea. Le message indique que nous avons une réservation le lendemain, à dix-neuf heures, si nous le désirons. La réservation a été faite à son nom. Nous sommes super heureux de la tournure des événements, et même si nous ne connaissons pas ce restaurant, nous voulons l'essayer. Nos recherches nous apprennent que cet endroit très à la mode propose des plats cuits sur feu de bois, que le service est soigné et l'ambiance, décontractée. Il faut certainement des semaines pour obtenir une réservation et nous en avons une grâce à cet ami d'un ami, mais peut-être aussi grâce à l'intervention de sa nouvelle copine, qui n'est nulle autre que la top-modèle Tyra Banks.

À l'heure dite, nous nous présentons à ce bel endroit. Le garçon à l'accueil s'empresse de nous installer au comptoir, d'où l'on a une vue spectaculaire sur la cuisine et son four à bois. Un ballet impressionnant de personnes s'affairent afin que l'expérience client soit tout simplement parfaite. Sans que nous ayons même commandé, on nous sert du champagne et des bouchées, en même temps que l'on nous tend le menu. Quelle réception ! Nous sélectionnons les plats que nous voulons déguster. La soirée commence merveilleusement bien.

Le garçon vient souvent nous demander si tout est correct et nous lui répondons invariablement que ça ne peut pas être mieux. Les entrées que nous avons choisies sont divines : du poulet à la plancha accommodé de trois façons. Voilà qui est prometteur ! Comme nous avons vue sur la cuisine, nous pouvons discuter avec une sous-chef, qui apprête sous nos yeux des plats de pâtes qui ont tout simplement l'air de goûter le ciel ! Elle nous explique la composition de ce délice qu'elle prépare pour une table voisine. On ne peut pas goûter à tout. Avant que notre plat principal arrive, surprise ! une entrée de pâtes nous est apportée. Le garçon nous dit : « Vous aviez l'air d'en avoir tellement envie. » *My God*, on ne sait pas trop quoi répondre… « Merci beaucoup. » C'est effectivement très bon. Le plat principal, l'excellent vin, la bonne compagnie de ma merveilleuse blonde, le spectacle en cuisine… nous sommes comblés et repus. Les 45 minutes de marche pour retourner à l'hôtel nous permettront de digérer en découvrant le *Chicago by night* !

« Vous ne voulez pas de dessert ?

— Désolé, mon ami, ce n'est pas l'envie qui manque, mais c'est impossible après toute la nourriture que nous avons mangée. Juste impossible.

— Vous êtes certains ? »

Et il commence la description des desserts…

« S'il vous plaît, arrêtez. Apportez-moi plutôt l'addition. »

Le garçon me regarde d'un drôle d'air et se dirige vers la cuisine, où il se met à discuter avec le maître d'hôtel, celui que nous observons depuis le début de la soirée et qui donne son approbation avant que les plats quittent la cuisine. Il vient vers moi et, s'efforçant de parler en français, me dit :

« Monsieur, il n'y a pas de facture.

— Comment ça, il n'y a pas de facture ? Nous avons mangé et bu plus que dans les six derniers mois. »

Il continue en anglais et m'explique qu'il n'y a pas d'addition pour la famille de Tyra Banks et, en plus, comme nous fêtons notre 20e anniversaire de mariage, la maison nous offre la soirée. Euh… Tout va très vite dans ma tête : je ne suis pas le beau-frère de la top-modèle et nous ne célébrons pas notre 20e anniversaire. Je suppose que c'est l'information que le restaurant a eue. Je prends tout de même soin de laisser un pourboire digne de ce que ce festin aurait coûté.

En marchant tranquillement vers l'hôtel, nous sommes toujours sous le choc. Dès notre arrivée, nous écrivons à l'ami de notre ami et lui expliquons la situation. Nous tenons à tout prix à payer notre dû si c'est lui qui a acquitté la facture. Sa réponse est immédiate. Il nous assure qu'il a seulement transmis le message à Tyra et que c'est elle qui a appelé au restaurant. Ce qui veut dire qu'elle a prétendu que j'étais le frère de son nouveau copain et que nous fêtions notre anniversaire de mariage, et le restaurant a décidé de nous offrir ce repas. Tout cela parce que je suis de la famille à Tyra… Eh bien, encore aujourd'hui, j'en suis sous le choc !

* * *

Caroline et moi nous
apprêtons à faire une
visite guidée en bateau sur
l'architecture de la ville.
Une expérience que je
recommande fortement.

PASSONS À TABLE

Escapade gastronomique d'un extrême à l'autre !

Impossible de vous décrire tout ce que nous avons mangé durant
ce week-end mémorable, mais j'ai tout de même choisi deux
plats que j'ai tenté de recréer avec mes connaissances culinaires
de passionné !

CHICAGO-STYLE DEEP DISH PIZZA

Cette pizza vous étonnera. Le seul bon conseil que je peux vous donner est de ne prévoir aucun autre repas le jour où vous préparerez une Chicago-style !

4 à 6 parts

Garniture
- 1 l (4 tasses) de sauce à pizza du commerce
- 3 c. à soupe d'huile d'olive
- 1 barquette de 227 g de champignons blancs en fines lamelles
- 1 petit oignon haché
- 1 poivron rouge en dés
- 145 g (5 oz) de provolone en tranches
- 250 ml (1 tasse) de mozzarella fraîche en cubes
- 145 g (5 oz) de mozzarella râpée
- 500 g (1 lb) de chair de saucisse italienne épicée
- 90 g (3 oz) de parmesan râpé

Pâte
- 1 boule de 500 g (1 lb) de pâte à pizza du commerce
- 4 c. à soupe de semoule de maïs

Garniture Dans une casserole, à feu doux, faites mijoter la sauce à pizza pour qu'elle épaississe un peu, au moins 1 heure. Préchauffez le four à 220 °C (425 °F). Dans une poêle, chauffez 1 c. à soupe d'huile à feu moyen-élevé et faites griller les champignons. Lorsqu'ils sont dorés, ajoutez l'oignon et le poivron. **Pâte** Du bout des doigts, étirez la pâte en un cercle de 38 cm (15 po). Badigeonnez une poêle de 30 cm (12 po) avec 1 c. à soupe d'huile. Saupoudrez le fond et les côtés de semoule de maïs, ce qui donnera de la texture à votre croûte. **Montage** Placez la pâte dans la poêle et étirez-la afin qu'elle couvre le fond et les côtés. Disposez le provolone sur la croûte. Parsemez de mozzarella fraîche et de mozzarella râpée. Éparpillez le mélange de légumes sautés, puis la chair de saucisse crue en petits morceaux. Versez la sauce à pizza sur le dessus. Parsemez de la moitié du parmesan. Repliez légèrement les bords de la croûte. Avec la dernière cuillerée d'huile, badigeonnez la bordure de la croûte. Faites cuire au centre du four 35 minutes ou jusqu'à ce que la pizza soit bien dorée et que la croûte sonne creux. Sortez du four et parsemez la pizza du reste de parmesan. Laissez reposer 10 minutes avant de vivre l'expérience de cette extravagante pizza !

J'ai essayé différents récipients et je suis vraiment un fan de la bonne vieille poêle en fonte noire pour cette recette.

MORUE EN SAUCE AUX CHORIZO, SAFRAN, POIS CHICHES ET CITRON

Nous avons adoré cette entrée de morue au Roister, mais je pense que vous voudrez la servir en plat principal. Je suis vraiment fou de ce poisson. Et pourtant, il n'est pas réputé pour avoir beaucoup de saveur. Lorsqu'il est bien apprêté, il prend le goût des ingrédients qui l'accompagnent. Miam, que c'est délicieux.

2 portions

- 3 c. à soupe d'huile d'olive
- 100 g (3 ½ oz) de chorizo en lanières ou en dés
- 1 gros oignon rouge en dés
- 2 gousses d'ail hachées
- ½ c. à thé de paprika fumé
- 1 pincée de safran
- 250 ml (1 tasse) de vin blanc
- 250 ml (1 tasse) de bouillon de poulet
- 250 ml (1 tasse) de coulis de tomates
- 1 c. à thé de sucre
- 1 boîte de 540 ml (19 oz) de pois chiches rincés
- Jus de 2 citrons
- 2 filets de morue
- Persil haché
- Sel et poivre

J'appelle cela ma spécialité tête-à-tête. Je dépose la poêle au centre de la table, entre nous deux, et nous ne prenons pas trop de temps pour l'admirer, car la cuisson de la morue continue dans la sauce.

Dans une poêle, chauffez 1 c. à soupe d'huile à feu moyen et faites revenir le chorizo jusqu'à ce qu'il commence à être croquant sur les bords. Réservez. Dans une autre poêle, chauffez 1 c. à soupe d'huile à feu moyen et faites sauter l'oignon 5 minutes ou jusqu'à ce qu'il soit ramolli. Ajoutez l'ail et le paprika fumé et faites cuire encore quelques minutes. Ajoutez le safran, le vin, le bouillon, le coulis de tomates et le sucre. Portez à ébullition et poursuivez la cuisson, à couvert, à feu doux, 10 minutes. Assaisonnez. Ajoutez les pois chiches et le jus de citron, faites cuire à couvert, 5 minutes. Placez la morue dans la poêle en écartant les pois chiches afin que les filets soient en partie recouverts de sauce. Ajoutez le chorizo réservé, remettez le couvercle et laissez mijoter tout doucement 8 minutes ou jusqu'à ce que la morue soit cuite. Arrosez la morue de la sauce à quelques reprises. Juste avant de servir, parsemez de persil et aspergez de 1 c. à soupe d'huile.

Une visite au Lyric Opera of Chicago

Le jour de notre arrivée à Chicago, pendant que nous dégustions notre pizza, nous avons consulté l'horaire de la maison d'opéra, une des plus importantes aux États-Unis. Il faut que vous passiez voir un spectacle dans la magnifique salle du grand bâtiment inauguré en novembre 1929, seulement six jours après le krach boursier d'octobre. De l'extérieur, il est difficile d'imaginer cette salle grandiose décorée dans les styles Art déco et Art nouveau. La visite en vaut vraiment le coup. Nous avons pu avoir des places, très mauvaises, nous étions même séparés, mais nous n'allions pas manquer notre chance d'assister à une représentation de *West Side Story*, cette comédie musicale dont on entend souvent des extraits en concert. Nous avons passé un après-midi inoubliable.

TROIS ŒUVRES DE LEONARD BERNSTEIN

West Side Story

Drame lyrique américain, l'histoire est inspirée de *Roméo et Juliette*, de Shakespeare. La première a lieu le 26 septembre 1957 au Winter Garden Theatre de Broadway. L'action se passe dans le quartier d'Upper West Side, à Manhattan, au milieu des années 1950. On assiste à la rivalité entre les Jets et les Sharks, deux bandes de jeunes qui se font la guerre pour le monopole du territoire. Vous reconnaîtrez beaucoup de thèmes musicaux.

Danses symphoniques de West Side Story

Tirées de la musique de la comédie musicale, ces *Danses symphoniques* vous feront entendre les grands thèmes en versions instrumentales :

Prologue (Allegro moderato) — La rivalité croissante entre deux gangs de rue adolescents, les Jets et les Sharks.

Somewhere (Adagio) — Leonard Bernstein, le compositeur, a imaginé une séquence allégorique où les deux bandes deviennent amies.

Scherzo (Vivace e leggiero) — Dans le même rêve, ils franchissent les murs de la ville et se retrouvent dans un monde d'espace, d'air et de soleil.

Mambo (Presto) — De retour à la réalité, la rivalité entre les bandes s'exprime dans cette danse.

Cha-cha (Andantino con grazia) — Les amants étoilés, Tony et Maria, se voient pour la première fois et dansent ensemble.

Scène de rencontre (Meno mosso) — La musique accompagne les premières paroles qu'ils échangent.

Cool, Fugue (Allegretto) — Une séquence de danse endiablée dans laquelle les Jets s'exercent à maîtriser leur hostilité.

Rumble (Molto allegro) — Bataille au cours de laquelle les deux chefs de bande sont tués.

Finale (Adagio) — L'amour de Maria prend la forme d'une procession, qui rappelle, dans une réalité tragique, la vision de *Somewhere*.

Candide

Une opérette fondée sur le conte philosophique éponyme de Voltaire. *Candide* est créé le 1er décembre 1956 à Broadway. La production est un total désastre et ne sera présentée que 73 fois, durant 2 mois. En revanche, les chansons enregistrées obtiennent des critiques très élogieuses. On peut même parler d'un album-culte. À peine un mois après la première de l'opérette, l'ouverture est présentée en concert par le New York Philharmonic et le succès est immédiat. Elle a été jouée par des centaines d'orchestres à travers le monde.

Notre séjour à Chicago n'aurait pu
être complet si nous n'avions pas
assisté à un spectacle dans cette
somptueuse maison d'opéra.

SUR LES ROUTES DU QUÉBEC

Chapitre 14

En 2008, ma carrière a pris un tournant décisif. Je ne voulais plus être dans mes valises neuf mois par année. J'y avais souvent songé, mais mon calendrier d'engagements se remplissait des années à l'avance. Je n'osais pas. Si je tentais ma chance avec de nouveaux et différents projets, je n'avais pas l'assurance de réussir et, surtout, de gagner ma vie et de subvenir aux besoins de ma petite famille.

Une façon nouvelle
de faire notre métier :
des événements
diffusés sur le web.

Une manière créative de
présenter des spectacles
durant la crise sanitaire, en
2020. Photo : Bernard Brault

Le processus s'est enclenché un soir de juillet sans que je m'y attende. J'étais sur le plateau de l'émission *Bons baisers de France* pour parler de mes opéras, de ma carrière de chanteur classique et, justement, de la vie dans ses valises. Après l'émission animée par l'extraordinaire France Beaudoin, son ami et conseiller Luc Rousseau vient me voir et me dit que Brigitte Lemonde, une des dirigeantes de la maison de production Zone3, aimerait bien discuter avec moi. La plupart du temps, lorsqu'on m'approchait pour un projet de disque ou autre, je me montrais assez rébarbatif. Il faut dire que l'opéra m'occupait déjà amplement. Luc m'a inspiré confiance et j'ai eu l'intuition que ce serait bon pour moi de rencontrer Brigitte. Il fallait que cela se fasse le plus tôt possible, car je repartais pour une production dans un pays lointain.

La rencontre a été fabuleuse et, dès la première minute passée dans le bureau de Brigitte, j'ai su que nous allions collaborer. Elle me demande si j'ai des projets et je lui défile sans retenue la liste de ceux que j'ai en tête. Habituellement, les gens qui veulent me rencontrer souhaitent proposer une de leurs idées, alors que Brigitte est prête à entendre ce que je veux faire. Que ce soit des disques classiques, des disques de musique pop, des émissions de télévision, des tournées de spectacles au Québec... J'ai entrepris tellement de projets avec cette équipe inouïe, et chacune de ces occasions m'a laissé un très bon souvenir. Je me rends compte aujourd'hui que rien n'était planifié, mais à l'instant où je suis sorti du bureau de Brigitte, ma décision était prise de changer de cap et de réaliser plusieurs de mes rêves avec son équipe.

C'est en travaillant sur mon premier disque, *Après nous*, que j'ai fait la connaissance de Jennifer, ma précieuse assistante depuis maintenant 13 ans. Ce disque s'est vendu à 80 000 exemplaires et la tournée, que je voyais déjà comme un succès en anticipant une quinzaine de représentations, s'est terminée après 106 spectacles en salle et environ 150 représentations en formule corporative ou privée !

Je ne regrette aucunement cette nouvelle orientation de ma vie professionnelle, pas une seule seconde, je n'ai pas un chouïa de nostalgie, je ne ressens que du bonheur. C'est aussi grâce à Brigitte que j'ai plus tard fait la connaissance de Louise Loiselle, éditrice de Flammarion Québec, avec qui je concocte doublement ce projet que je caressais de publier des livres.

Année après année, parcourir les routes du Québec, découvrir des régions, mieux connaître les habitants des grandes villes et des petits villages, goûter des plats typiques, embrasser des yeux les vastes paysages... Ah ! que ma mémoire est imprégnée de ces riches souvenirs. Et tout ce que j'ai partagé en tournée avec mon équipe de talentueux musiciens, musiciennes, techniciens et techniciennes... sans parler des aventures presque invraisemblables que nous avons vécues, comme celles-ci...

Une fois, notre gros camion rempli à craquer d'équipements est tombé en panne au beau milieu d'une très grosse côte entre Sept-Îles et Baie-Comeau.

Nous avons chargé le violoniste François Pilon de ramener un nouveau camion et il a fallu transborder tout le matériel au beau milieu de la côte ! Nous sommes arrivés à 18 heures au théâtre, avec 7 heures de retard, et l'équipe a mis les bouchées doubles pour ouvrir le rideau à 20 heures, comme si de rien n'était.

Une fois encore, une alerte à la bombe nous a obligés à évacuer la salle de spectacle quelques minutes avant les premières notes du concert. Nous étions tous réunis dans le stationnement à vivre une situation qui aurait pu être angoissante, mais qui, au contraire, a favorisé les échanges entre des personnes qui ne se connaissaient pas. Après une heure de jasette fort agréable, nous avons pu retourner dans la salle. Inutile de vous dire que l'ambiance était électrisante !

Voyager en hélicoptère ou dans un petit avion pendant une tempête et penser que c'est la fin. Ou encore dormir dans une caisse populaire Desjardins en raison d'une chute de neige record !

Je me rappelle aussi la partie de hockey que nous avons jouée sur le quai de Baie-Comeau en attendant le traversier pour Matane. Moment unique !

Me viennent à l'esprit aussi tous les concerts organisés avec mon ami le pianiste Benoit Sarrasin. Je me souviens avoir conduit de Morin-Heights jusqu'à

Baie-Comeau : 10 heures de route. En soirée, nous avions donné un spectacle et étions repartis le lendemain matin pour Fermont faire un autre concert, en ajoutant 9 heures de trajet. Puis à 5 heures du matin, je reprenais le volant pendant 14 heures pour nous rendre à Havre-Saint-Pierre, où nous avions occupé la scène 30 minutes après notre arrivée...

En tournée de concerts voix et piano avec mon ami et pianiste Benoit Sarrasin.
Photo : Michel Pinault

Un des moments forts que j'ai eu le privilège de vivre est assurément la 100e représentation du spectacle *Après nous* au Centre Bell. Il n'y a pas de mot pour décrire ce que j'ai ressenti.

Puis, il y a eu ce projet audacieux de plus de 60 représentations du concert *A Napoli*, entièrement en italien et en napolitain, qui nous a conduits aux quatre coins du Québec.

Relever le défi à trois reprises, avec Gregory Charles, d'une performance au Centre Bell avec plus de 4000 choristes, sans avoir aucune idée de ce que le public allait nous demander de chanter.

Dans mes souvenirs sacrés figurent plus de 200 représentations du concert de Noël dans les plus belles églises de la province.

Un dimanche après-midi, participer à un concert dans le cadre du Festival de Lanaudière, le plus important festival de musique classique au Canada, dans un superbe amphithéâtre, puis partir de ce site exceptionnel en hélicoptère pour me rendre à l'International de montgolfières de Saint-Jean-sur-Richelieu et monter sur les planches quelques minutes après l'atterrissage avec plein d'artistes invités pour un grand spectacle d'un tout autre genre.

Être la cause de l'arrêt du traversier de L'Isle-aux-Coudres deux heures plus tard que de coutume parce qu'il y avait trop de monde à mon concert au Havre musical de L'Islet.

J'ai souvent essuyé d'énormes tempêtes de neige, mais je me souviens particulièrement de la fois où nous avons bravé la route entre Rivière-du-Loup et Montmagny et que nous sommes tout de même arrivés à bon port. Nous avons pu présenter le spectacle malgré les coupures incessantes de courant, grâce aux génératrices des camions à l'extérieur. Épique !

Des marathons insensés, j'en ai couru : finir de tourner notre émission *Cap sur l'été* avec la merveilleuse Marie-Josée Taillefer, prendre la route à 17 h 30 pour arriver au Grand Théâtre de Québec à 20 h, me maquiller, me coiffer et me costumer et entrer en scène à 20 h 30, l'air détendu et en pleine voix pour jouer mon personnage de Brésilien dans *La Vie parisienne* produite par l'Opéra de Québec. Ouf !

Un concert sous les lueurs de l'aurore, au belvédère de Grande-Vallée, en Gaspésie, pendant le Festival en chanson de Petite-Vallée, en 2020.

Jouer dans l'opéra *I Pagliacci*, à la Place des Arts, sauter dans un taxi à l'entracte pour aller chanter *Fais-moi la tendresse* avec Ginette Reno dans son spectacle à la salle Pierre-Mercure : comment aurais-je pu refuser !

En pleine pandémie, à l'été 2020, j'ai commencé un concert à 4 h 50 du matin sur un belvédère de Grande-Vallée, en Gaspésie, devant un auditoire assis sur des chaises de jardin, et nous avons tous assisté à un spectaculaire lever du soleil. Je salue ceux qui ont eu cette brillante idée.

Depuis le début de la pandémie, on a entendu qu'il fallait innover ! J'ai suivi le conseil et j'ai présenté un spectacle dans un « musiparc » devant une centaine de voitures. Recevoir des coups de klaxon et des clignotements de phares en guise d'applaudissements, c'est spécial.

Préparer 40 recettes en 4 jours, avec une minuscule équipe de feu, chez moi, pour faire les photos de mon premier livre *Bon vivant !* m'a fait vivre un des sprints les plus joyeux.

Rencontrer des gens de cœur partout au Québec, tisser des liens d'amitié sincère avec Noëlle-Ange, la boulangère de L'Isle-aux-Coudres, et Gaétan, son mari, avec Allan, le directeur artistique du Festival en chanson de Petite-Vallée, et sa maman, Luce, de Dégelis, émouvante combattante, ainsi que ses grands-parents, et tant d'autres...

Et je pourrais continuer comme ça pendant des pages et des pages... Merci à ceux et celles qui embarquent avec moi dans tous mes projets.

* * *

Au Studio Mont-Rolland, avec mes filles, pour enregistrer une chanson sur l'album *Nostalgia*.

En pause de ravitaillement d'essence à Grandes-Bergeronnes, sur la Côte-Nord, juste avant un concert dans une église. Avec Régis Rousseau, organiste et, à l'époque, directeur du Conservatoire de musique de Saguenay.

PASSONS À TABLE

Deux saveurs du Québec

Cette section pourrait compter des dizaines de recettes de toutes les régions du Québec que j'ai eu la chance de parcourir et de découvrir. Je vous en propose deux pour un petit goût du Québec dans votre assiette.

LE BOUILLI CANADIEN

Pendant toute mon enfance, c'était le mets que je détestais le plus. Adolescent, l'odeur du chou et du navet dans la maison me donnait l'envie de fuguer. Il faut croire que les goûts évoluent puisque, maintenant, je pourrais faire des kilomètres à pied et même à genoux pour un bon bouilli fait avec la récolte de légumes frais du Québec.

6 portions

- 2 c. à soupe de beurre
- 1 c. à soupe d'huile d'olive
- 1 rôti de palette de bœuf avec os de 1 kg (2 lb)
- 2 oignons hachés
- 250 ml (1 tasse) de bouillon de bœuf
- 375 ml (1 ½ tasse) d'eau
- 1 c. à thé de sel
- 2 feuilles de laurier
- 4 branches de thym
- 2 gousses d'ail hachées
- 1 navet moyen en gros cubes
- 5 carottes en tronçons
- 1 chou vert moyen en morceaux
- 8 pommes de terre nouvelles en quartiers
- 500 g (1 lb) de haricots jaunes
- Sel et poivre

Dans mon souvenir, ma grand-mère effilochait la viande dans le bouilli avant de le servir.

Dans une grande cocotte, chauffez à feu moyen-élevé le beurre et l'huile et saisissez la viande des 2 côtés. Ajoutez l'oignon et poursuivez la cuisson 2 minutes. Versez le bouillon et 125 ml (½ tasse) d'eau. Ajoutez 1 c. à thé de sel, le laurier, le thym et l'ail, et poivrez. Baissez le feu, couvrez et laissez mijoter, en vous assurant que la viande est toujours couverte de liquide. Au bout de 1 heure 30 minutes, ajoutez le navet, la carotte et 250 ml (1 tasse) d'eau. Assaisonnez de nouveau, couvrez et laissez mijoter 30 minutes. Ajoutez le chou, la pomme de terre et les haricots jaunes. Couvrez et poursuivez la cuisson encore 30 minutes. Versez un peu d'eau si nécessaire. Rectifiez l'assaisonnement, retirez le laurier et le thym, taillez la viande en morceaux, et c'est prêt !

PÂTÉS CROCHES DE L'ISLE-AUX-COUDRES

J'adore ces pâtés typiques de L'Isle-aux-Coudres, conçus pour les canotiers qui traversaient le fleuve et qui devaient souvent braver tempêtes et marées.

12 pâtés

Pâte
- 7 c. à soupe de graisse végétale
- 250 ml (1 tasse) de lait
- ½ c. à thé de bicarbonate de soude
- 500 ml (2 tasses) de farine
- ¼ c. à thé de sel
- 1 jaune d'œuf (facultatif)

Farce
- 250 g (½ lb) de porc haché
- 250 g (½ lb) de veau haché
- 1 oignon moyen haché finement
- 60 ml (¼ tasse) d'eau
- 1 c. à thé de sel
- 1 c. à thé de poivre

Pâte Dans une petite casserole, chauffez la graisse à feu moyen. Dans une autre casserole, chauffez le lait à feu doux-moyen jusqu'aux premiers frémissements, sans laisser bouillir. Retirez du feu et incorporez le bicarbonate de soude. Dans un grand bol, mettez la farine et le sel. Versez le lait chaud et mélangez à l'aide d'une cuillère en bois. Incorporez la graisse fondue petit à petit en remuant. Mélangez jusqu'à ce que la pâte soit homogène et qu'elle ne soit plus collante. Laissez tiédir, puis réfrigérer 1 heure. **Farce** Dans un bol, mélangez tous les ingrédients. **Pâtés** Divisez la boule de pâte en 2, puis divisez chacune des moitiés en 6 afin d'obtenir 12 parts égales. Sur une surface farinée, abaissez les boules en cercles de 15 cm (6 po) de diamètre. Déposez 3 c. à soupe de farce au centre de chaque pâte. Repliez la pâte sur la garniture et scellez pour former un chausson. Préchauffez le four à 180 °C (350 °F). Avec le pouce et l'index, formez des petites vagues sur le pourtour des pâtés. Si désiré, badigeonnez la pâte avec un jaune d'œuf battu dilué dans un peu d'eau. Placez les pâtés sur une plaque tapissée de papier parchemin. Enfournez de 25 à 30 minutes, jusqu'à ce que les pâtés soient dorés. Servir avec une salade et un ketchup maison.

Mes disques

J'ai eu plusieurs discussions avec quelques maisons de disque avant de me décider à enregistrer. À partir du moment où j'ai trouvé les bonnes personnes, je suis devenu un hyperactif du disque, avec la production de 11 disques en 12 ans, sans compter les nombreuses collaborations, dont un certain *Fais-moi la tendresse* avec Ginette Reno, en 2009.

Le premier Noël (2009)

Je voulais absolument enregistrer mon premier disque dans l'église du Très-Saint-Nom-de-Jésus, celle de mon enfance, à la mémoire de mon père décédé trop tôt, le 30 décembre 1988. Il aimait tant le répertoire des cantiques de messe de Noël : du *Çà, bergers, assemblons-nous* au *Minuit, chrétiens*, en passant par l'*Ave Maria* de Schubert.

Après nous (2009)

Dans mon premier disque pop, celui qui est le fruit de ma rencontre avec Luc Rousseau et Brigitte Lemonde, j'interprète des chansons importantes pour moi, comme *Le blues du businessman* (*Starmania*) et *Désormais*, de Charles Aznavour, mais aussi des chansons originales : *Après nous, Les femmes de ma vie* et *À mon père*.

Ténor arias (2010)

C'est un objet de fierté, pour moi, ce disque enregistré avec mon ami Yannick Nézet-Séguin et l'Orchestre métropolitain. Ce fut un tour de force mené en seulement deux séances d'enregistrement. Nous y proposons les plus grands airs de l'opéra italien : *Tosca, La Traviata, Turandot, Pagliacci, La bohème, Cavaleria rusticana.*

A Napoli (2011)

Mon répertoire de prédilection, des chansons qui me font du bien et qui me permettent d'exploiter toutes les nuances de ma voix classique : *Mamma, I te vurria vasà, Non ti scordar di me, Cor 'ngrato, Ideale...* Les plus belles chansons napolitaines.

Un air d'hiver (2011)

Je voulais créer des chansons de Noël bien personnelles, pour mes filles et ma blonde, ma petite famille. On m'a convaincu de mettre ces chansons sur un album. J'ai aussi le plaisir de les chanter en concert dans le temps des Fêtes et l'accueil du public est toujours grandiose. *À ma table, Nos trois anges*, un cadeau de Marc Dupré, *Le plus beau des cadeaux*, que France D'Amour a composé, *Tant qu'on est ensemble*, de Jean-François Breau, et un duo avec Brigitte Boisjoli, *Les mots tendres*.

Mes plaisirs... (2013)

Un projet fou de chansons en français enregistrées en concert avec l'Orchestre symphonique de Québec et avec les fabuleux arrangements de Simon Leclerc. Des grands classiques comme *L'hymne à l'amour, Ordinaire, La Quête, Ils s'aiment, Et maintenant*, et plusieurs autres...

Mes plaisirs... la suite (2013)

Il n'y avait pas assez de place sur un seul disque pour mettre le concert ! Cet album comprend notamment *Quand on n'a que l'amour, Je vais t'aimer, Les plaisirs démodés, Une chance qu'on s'a*.

Hervieux (2014)

Un cadeau extraordinaire que d'enregistrer un disque avec des chansons créées exclusivement pour moi. Être le premier à interpréter ces œuvres est un privilège. Merci aux auteurs et aux compositeurs, dont Richard Séguin, Sylvain Cossette, Maxime Landry, Patrick Bourgeois, Gardy Fury, Christian Marc Gendron.

Nos chansons (2018)

Un projet démesuré : demander au public de me faire des suggestions de chansons à diffuser sur les réseaux sociaux, inviter 75 de ces personnes en studio et enregistrer le disque en version concert voix et piano, en italien, en français, en anglais, en espagnol et en allemand, avec comme seul lien le langage de la musique !

Nostalgia (2020)

La pandémie m'a inspiré ce répertoire qui me rappelle mon enfance et mon adolescence dans l'appartement d'Hochelaga-Maisonneuve. Des chansons réconfortantes des artistes que j'écoutais le plus souvent : Kenny Rogers, Willie Nelson, Elvis Presley, Engelbert Humperdinck, Charles Aznavour, Neil Diamond.

Nostalgia 2 (2021)

Je n'avais pas imaginé en faire un deuxième, mais vos réactions et vos commentaires étaient si nombreux et élogieux à la sortie du premier que je n'ai pas résisté à la tentation de renouveler l'expérience. C'était impossible de mettre de côté les chansons de Barry Manilow, Sacha Distel, Michel Louvain, Perry Como, Dean Martin et Daniel Hétu.

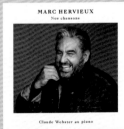

Remerciements

Merci à Caroline, Loïane, Cloé et Maxime de me donner l'impulsion qui me pousse à me dépasser dans mes nombreux projets, de toujours me soutenir et de m'encourager. Vous êtes ma force, mon équilibre et ma fierté.

Merci à mes sœurs, Julie et Maryse, et à mon frère, Alain, pour le partage des souvenirs familiaux.

Merci à Johanne Weilbrenner et à Jean-Claude Lebeau, artistes aux mille et un talents, pour la magnifique vaisselle blanche dans laquelle mes recettes ont été photographiées. Votre passion est un exemple pour moi.

Merci à Louise Loiselle, éditrice de Flammarion Québec, pour ta confiance renouvelée, ta complicité et ton dévouement immense à mon projet.

Merci à Chantal Legault. Nous formons un duo de rêve en cuisine. Ta vaste expérience, ton sens esthétique et ta bonne humeur m'aident à me surpasser.

Merci à Dominique Lafond pour tes magnifiques photos. J'essaie encore de comprendre comment tu peux transformer mes plats en images si appétissantes.

Merci à Annie Lachapelle de créer avec tous ces éléments un si beau livre, que dis-je, d'en faire une création artistique !

Merci à Isabelle Longtin pour tes conseils, ton efficacité, ta gentillesse et tes merveilleux émojis.

Et, à vous toutes et tous que je rencontre dans la rue, à mes concerts, grâce aux réseaux sociaux ou partout ailleurs, merci d'être là, de me soutenir de vos bons mots et, particulièrement, de votre chaleur humaine !

Aux Studios Piccolo pour l'enregistrement du disque *Nos chansons*. Photo : Daniel Daignault

(Page suivante) Au Studio B-12 de Valcourt, lors de l'enregistrement de l'album *Nostalgia 2* avec Gilbert Fradette, mon ami, réalisateur, batteur, percussionniste, chef d'orchestre... Photo : Julien Faugère

Index

Soupes
Soupe au pistou 66
Soupe mexicaine taco-poulet 92

Entrées et hors-d'œuvre
Petits pains farcis gombos de
    mon enfance 102
Pizza oignons-champignons-olives 80
Salade de melon d'eau 40
Salade fraîche d'été aux agrumes 152

Salades
Salade de melon d'eau 40
Salade fraîche d'été aux agrumes 152

Plats principaux
Agneau
    Côtelettes d'agneau style libanais (Les) 82
Bœuf
    Bouilli canadien (Le) 180
    Bulgogi (bœuf barbecue coréen) 128
    Petits pains farcis gombos de
        mon enfance 102
Porc
    Chicago-style Deep dish pizza 166
    Mon cassoulet 54
    Mon filet de porc à l'érable et au brie 30
    Morue en sauce aux chorizo, safran,
        pois chiches et citron 168
    Oh! jambalaya 140
    Pâtés croches de L'Isle-aux-Coudres 182
Veau
    Pâtés croches de L'Isle-aux-Coudres 182
Volailles
    Casserole d'enchiladas au poulet 94
    Mon cassoulet 54
    Nachos au poulet à la grecque 42
    Oh! jambalaya 140
    Poulet BBQ (Le) 18
    Soupe mexicaine taco-poulet 92
    Vol-au-vent au canard sur
        pomme de terre 28

Poissons et fruits de mer
    Morue en sauce aux chorizo, safran,
        pois chiches et citron 168
    Oh! jambalaya 140
    Saumon de Caro aux pistaches
        et au citron (Le) 154
Pâtes et riz
    Lasagne végé aux tomates,
        épinards et fromage 68
    Macaroni au cheddar 16
    Oh! jambalaya 140
Pizza
    Chicago-style Deep dish pizza 166
    Pizza oignons-champignons-olives 80
Végétariens
    Lasagne végé aux tomates,
        épinards et fromage 68
    Macaroni au cheddar 16
    Pizza oignons-champignons-olives 80
    Salade de melon d'eau 40
    Salade fraîche d'été aux agrumes 152
    Soupe au pistou 66

Accompagnements
Asperges grillées 152
Salade de melon d'eau 40
Salade fraîche d'été aux agrumes 152

Marinades
Marinade asiatique pour bœuf 128
Marinade au citron pour poulet 42
Marinade sèche pour poulet 18

Fromage
Bagatelle qui se prend pour
    une Key lime pie 142
Casserole d'enchiladas au poulet 94
Chicago-style Deep dish pizza 166
Gâteau aux biscuits Goglu sans
    cuisson à l'américaine 44
Lasagne végé aux tomates,
    épinards et fromage 68

Macaroni au cheddar   16
Mille-crêpes à l'érable, au mascarpone
    et aux pommes   56
Mon filet de porc à l'érable et au brie   30
Nachos au poulet à la grecque   42
New York-style cheesecake à Marco   116
Salade de melon d'eau   40
Salade fraîche d'été aux agrumes   152
Soupe mexicaine taco-poulet   92

Desserts
Bagatelle qui se prend pour
    une Key lime pie   142
Gâteau aux biscuits Goglu sans
    cuisson à l'américaine   44
Gigantesque crêpe choco-arachides   138
Hotteok (galette sucrée coréenne)   130
Mille-crêpes à l'érable, au mascarpone
    et aux pommes   56
New York-style cheesecake à Marco   116
Tarte aux pommes, dattes
    et pacanes à l'érable   20
Torta paradiso   114
Vacherin glacé aux fraises et à
    la noix de coco   156

Friandise
Sucre à la crème de Memère Rosa   104

Cocktail
Strawberry gin forever (Le)   78

Arrivederci,
lunga vita a tutti !

BIBLIO OTTAWA LIBRARY

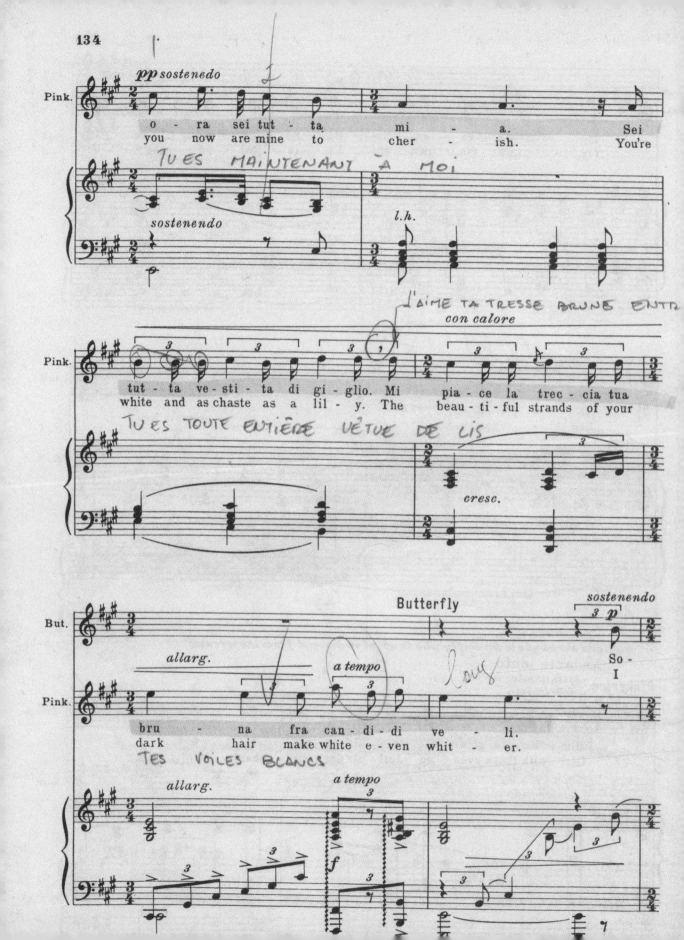